COLLECTION FOLIO

Philippe Sollers

# Beauté

Gallimard

Philippe Sollers est né à Bordeaux. Il fonde, en 1960, la revue et la collection « Tel quel » ; puis, en 1983, la revue et la collection « L'Infini ». Il a notamment publié les romans et les essais suivants : *Paradis, Femmes, Portrait du Joueur, La Fête à Venise, Le Secret, La Guerre du Goût, Le Cavalier du Louvre, Casanova l'admirable, Studio, Passion fixe, Éloge de l'infini, Mystérieux Mozart, L'Étoile des amants, Dictionnaire amoureux de Venise, Une vie divine, Guerres secrètes, Un vrai roman : Mémoires, Les Voyageurs du Temps, Discours Parfait, Trésor d'Amour, L'Éclaircie, Fugues, Portraits de femmes, Médium, L'École du Mystère, Mouvement, Complots, Beauté* et *Centre*.

« Immortelle est la beauté »

Inscription grecque dans le temple d'Athéna Aphaia
à Égine (5$^e$ siècle avant notre ère).

# FOUDRE

On est en mai, il fait très beau, je suis avec Lisa à Athènes. La nuit, vers 3 h du matin, l'expérience se renouvelle. Mon corps n'est plus là, je plane au-dessus de lui, ça dure à peine trois secondes, mais j'ai tort de dire « secondes », puisque le temps a disparu. Plus de temps, plus d'espace, mais un drôle de lieu à faible lumière bleutée, juste à côté de Lisa qui dort sur cette planète. On en découvre tous les jours, des planètes, elles tournent autour de leurs étoiles, le problème étant de savoir si l'une ou l'autre est « habitable », c'est-à-dire comporte de l'eau, nécessaire pour produire la vie. Les humains, malgré leurs atrocités et leurs misères, ne renoncent pas à rencontrer leurs semblables à des années-lumière de leurs migrations terrestres. Il faut de l'eau, point. Je descends doucement, je me réincarne, je me lève avec précaution, je vais boire un verre d'eau.

Sauf à respirer en hauteur, sur le Lycabette, Athènes est une ville invivable. Chaleur, pollution, circulation folle, et, de plus en plus, corruption, déliquescence, réfugiés, faillites en tous genres. Pauvre Grèce, devenue la poubelle de l'Europe ! Lisa, en principe, devrait être une Grecque déprimée, et moi un Français morose. Pourtant, non, on s'est rencontrés, et ça marche. C'est une virtuose du piano, je me débrouille avec les mots, on aime par-dessus tout le silence.

En fin d'après-midi, le bateau file vite vers Égine dans le couchant rouge. On va dormir là-bas, et, le lendemain, montée au temple. Je suis déjà venu, je connais l'endroit. Elle le connaît mieux que moi, puisqu'elle est née là. Ses parents et elle vivent maintenant en Suisse, ils sont partis avant la dictature bancaire fracassant le pays, et lui imposant une austérité rageuse. La dette engendre la culpabilité, et si vous ne remboursez pas, c'est de votre faute. Les banques organisent le ravage, mais sont très morales. Vous devez expier votre péché d'exploités.

Lisa, heureusement, n'a jamais mordu aux vieilles sirènes d'une révolution impossible, et n'a jamais cru à une rédemption via un prolétariat désormais introuvable.

Les théoriciens « marxistes » n'ont rien compris au capitalisme financier et à son énorme délire frigide. Ils se sont recyclés en tribuns démagogues toujours prêts à haranguer des foules sur des places bondées. La musique a sauvé Lisa dès son enfance. Son père est violoncelliste, sa mère violoniste, ils donnent encore des concerts de musique de chambre un peu partout. Ils ont veillé sur leur petite fille, pianiste déjà géniale.

Nous voici donc à Égine, île depuis longtemps pourrie par les promoteurs immobiliers et le cancer touristique. Olympie, en 2007, a été cernée par un incendie furieux qui a pourtant épargné le temple de Zeus, et l'État islamique menace de détruire Palmyre. Nous, demain, on va monter vers une ruine grandiose, plus vivante que jamais. Lisa, ce soir, est très silencieuse.

Le temple d'Athéna Aphaia s'est longtemps appelé seulement d'Athéna, avant qu'on lui ajoute « Aphaia », divinité mystérieuse, dont le surnom est « L'Invisible ». Athéna se déploie dans des apparitions multiples, Aphaia reste en retrait. Le temple pourrait ainsi être nommé le « Visible-Invisible », sanctuaire du jour et de la nuit. Le ciel est très bleu, le soleil brille.

Et voici l'événement : un éclair en plein jour, un coup de foudre sans le moindre orage. C'est stupéfiant et très bref. Zeus vient de parler, on est traversés par cet éclat, on en pleurerait de joie. Il est donc toujours là le vieux Zeus, « l'assembleur de nuées », le Père ? On est pétrifiés, on ne bouge pas, on se tait. Et puis Lisa, qui a déjà vu ça dans son enfance, murmure : « C'est très rare. » Je lui serre la main, tout est tranquille. Je pense que l'éclair vient d'un repos profond, insondable éclat d'harmonie complète. Platon, trahi par son tyran de Syracuse, a passé un certain temps en exil à Égine. Je me demande s'il a vu *ça*. Platon, peut-être pas, mais Heidegger, oui, comme le prouve son intervention sur la formule d'Héraclite « la foudre gouverne l'univers ». Il dit tout à coup : « Je me souviens d'un après-midi lors de mon séjour à Égine. Brusquement, j'ai perçu un éclair unique, qui n'a été suivi d'aucun autre. J'ai pensé : Zeus. »

Ce n'est pas mon premier contact avec la foudre. J'ai 12 ans, je suis seul à la campagne dans une grande maison, la foudre tombe dans le jardin, et, par la fenêtre ouverte, entre dans la pièce où je suis. C'est une boule de feu qui monte et descend le long d'un rideau. Je suis là, debout, elle va me consumer sur place. Je suis dans une angoisse folle (la plus folle de ma vie), mais cette irruption d'or brûlant compact est d'une beauté incroyable. C'est une planète qu'on pourrait saisir dans la main. Dix secondes d'enfer, et la voilà qui *sort* et disparaît dans les arbres, sans que le rideau ait pris feu. Je me jette sur un divan, je ferme les yeux, j'ai compris. Quoi ? Aucun mot pour le dire. Mon corps, ou plutôt mon cadavre aurait pu être le héros d'une information locale. « Orage tragique : un jeune garçon foudroyé près d'une fenêtre, chez lui. »

Après ce coup de foudre à Égine, on est rentrés à Athènes, d'où Lisa devait prendre un avion pour un concert à Berlin. Je la revois à Paris où elle vient de temps en temps. Un soir, à dîner, je lui ai demandé si elle avait repensé à Égine. Elle m'a regardé, et m'a dit simplement avec un sourire : « Tu n'as pas remarqué que, depuis, je joue *mieux* ? »

# ÉROS

L'avantage d'être l'ami d'une musicienne, c'est un afflux d'intervalles dans les relations. Rencontres programmées, pas un mot de trop, réserve. Dans un monde de plus en plus hystérique et bavard, il s'agit d'une bénédiction, et d'un contre-courant radical. Je comprends l'érotisme et l'obscénité, j'ai fait mes études. J'ai beaucoup admiré Georges Bataille et ses personnages de folles, Simone, Madame Edwarda, Dirty, Réa, Hansi, Loulou, et sa propre mère délirante, dans des récits où la rage, la souillure et la décomposition raniment un drôle de Sade transfusé du côté masochiste, sur fond d'alcool. J'ai expérimenté ce genre de folie. J'en suis sorti.

Le véritable érotisme est sobre, pudique, maître de lui-même et de sa douceur. Je n'ai pas besoin de décrire la façon dont je fais l'amour avec Lisa. Après avoir joui, chacun reste seul, mais, comment dire, *en plus*. L'éclair continue, c'est une clairière, le tournant invisible a lieu, la lumière vous regarde. Lisa est une constellation, et j'en suis une autre. Cela ne nous empêche pas d'être des atomes dans le même ciel.

Dans le genre morbide, confondant l'hystérie, le divin, la mort, l'ivresse et la folie de façon géniale, impossible de faire mieux que Bataille :
« Comme un tronçon de ver de terre, elle s'agita, prise de spasmes respiratoires. Je me penchai sur elle et dus tirer la dentelle du loup qu'elle avalait et déchirait dans ses dents. Le désordre de ses mouvements l'avait dénudée jusqu'à la toison : sa nudité, maintenant, avait l'absence de sens, en même temps l'excès de sens d'un vêtement de morte. Le plus étrange – et le plus angoissant – était le silence où Madame Edwarda demeurait fermée : de sa souffrance, il n'était plus de communication possible et je m'absorbai dans cette absence d'issue – dans cette nuit du cœur qui n'était ni moins déserte, ni moins hostile que le ciel vide. Les sauts de poisson de son corps, la rage ignoble exprimée par son visage mauvais, calcinaient la vie en moi et la brisaient jusqu'au dégoût. »

Bataille parle de son cœur « blessé d'une incurable blessure ». C'est un des derniers romantiques avant la grande normalisation technique.

Le plus étonnant est qu'il ait pu aimer la merveilleuse indifférence de Manet. Mais cette scène est *belle*, et ne parlez plus de beauté si vous n'êtes pas de cet avis. La beauté sur fond noir, voilà le vrai. Exemple : je suis dans une fête avec une folle, près d'une fenêtre ouvrant sur une cour. Tout à coup, après m'avoir passionnément embrassé, elle me dit : « Jette-toi par la fenêtre pour voir si je jouis. » Elle me pousse, mais elle a trop bu, elle n'a plus la force. Pour cette révélation, j'ai de l'amitié pour elle.

Une autre, camée à fond, me menace avec un couteau dans ma chambre. Il est deux heures du matin, elle veut absolument dormir chez moi, elle me fait le numéro de la grande sorcière primordiale, elle était jolie en début de soirée, maintenant elle grimace, et sa voix est rauque. J'ai toutes les peines du monde à la faire descendre, et, en bas de l'immeuble, sur le trottoir, elle vomit son injure : « Lâche ! »

Des trucs comme ça.

On a tendance à oublier les souvenirs agréables puisqu'ils se répètent. Les désagréables, eux, s'inscrivent dans la mémoire en relief. Écorchures, incisions, reproches, mauvaise humeur, tout est fait pour user son prochain comme soi-même. Il y a des natures douées pour l'usure. C'est un travail à plein temps.

En revanche, une bonne partenaire érotique (je pense à Lisa) sait exactement ce qu'elle veut quand elle veut. C'est une séance musicale d'une heure et demie, un quart d'heure de conversation sous-tendue par ce qui va avoir lieu (actualités mises en abîme), une grande demi-heure de caresses et de baisers profonds, et puis conclusion, et, de nouveau, conversation, cette fois *sérieuse*. Tel concert, tel enregistrement, telle retransmission, tel voyage, telles contraintes. On s'embrasse tendrement, je lui dis qu'elle a encore embelli, elle s'en va. Sinon, dîner calme, et bonsoir.

Associer l'érotisme à la mort m'a toujours paru une erreur, une faute de sourds. Les mots échangés, les chuchotements, la mélodie partagée, *l'accompagnement*, sont les clés de la promenade. Elle est enfantine, bien sûr, cette balade, et d'une gratuité sans limites. L'éclair, dans le bleu du ciel, vient de la paix, comme étant la paix elle-même à travers la guerre. L'érotisme est bienveillant comme une déesse ou un dieu. Il ne manque de rien et ne cherche rien. Il est *d'accord*.

Lisa du matin, Lisa de l'après-midi, Lisa du soir. Elle a du temps, elle n'a pas le temps, elle est loin, elle me téléphone, elle est de retour. Elle était au Japon, en Angleterre, en Hollande, elle arrive d'Allemagne, elle est à Paris pour moi. Elle me raconte. Elle ne me demande pas ce que j'écris, elle vérifie juste que je suis en train d'écrire. Elle se fout éperdument du « milieu littéraire », et le « milieu musical » l'exaspère. Allons, c'est l'époque, passons et jouons.

Pas de rapports entre l'érotisme et la mort ? Si, un seul : faire comme si on avait disparu entre deux rendez-vous. Quelle joie de se revoir vivants ! La soudaine illumination indienne (le *Samadhi*) prétend que c'est alors « comme retrouver un parent perdu ». Voilà : deux sauvés du néant se disent bonjour et s'embrassent.

## WEBERN

On peut préférer les hurlements du rock à Bach, ou les convulsions d'un chanteur pop à Mozart. Ce n'est pas mon cas, et c'est pourquoi j'aime Lisa. Pour la dixième fois, j'écoute et je regarde avec elle Glenn Gould jouant les *Variations pour piano, opus 27* de Webern. C'est sublime d'intensité percutée, les notes sont enfin plus que des notes, chaque note en vaut dix, la droite et la gauche échangent leurs places, pas de mélodie, une harmonie surgie de la vitesse pure. La pensée tombe à pic sur un clavier renversé.

Gould a de très longues mains qui, soudain, avec leurs doigts effilés, mesurent deux mètres. Il a un drôle de geste hiératique pour souligner une brève interruption, il tend le bras gauche en avant, paume ouverte. À ce moment-là, il a l'air de sortir d'un tombeau égyptien de la 18e dynastie. Il pousse un mur d'air loin devant lui, dans l'avenir du son. Personne ne semble s'être rendu compte que Webern (grand admirateur de Bach) composait de la musique sacrée. Des hymnes pour dieux grecs, oiseaux libres.

Les *Variations* ont été écrites en 1935-1936. L'enregistrement filmé de Gould, en 1974, dure 5 minutes 12 secondes. C'est un long concert en profondeur. Anton von Webern est mort en 1945 dans des circonstances mystérieuses. Cet aristocrate autrichien, traité de dégénéré par les nazis et les staliniens, se réfugie dans les Alpes pour échapper aux Russes. Les Américains arrivent, et il sort un soir sur la terrasse de sa maison pour fumer. Un GI le vise et le tue. Il n'est pas coupable, il a cru voir quelque chose de louche, il s'agit d'une regrettable erreur, d'une minuscule bavure dans l'enfer de la Seconde Guerre mondiale. Le soldat meurtrier meurt dix ans plus tard, très déprimé et rongé d'alcool, en disant de temps en temps, en pleurant, à sa femme : « Je n'aurais jamais dû tuer ce type. » Personne ne l'a décoré pour ça, en effet.

Webern aimait citer Hölderlin : « Vivre, c'est défendre une forme. » À quoi pensait-il, ou plutôt qu'entendait-il dans sa tête, ce soir-là, en sortant fumer ? J'aimerais installer un piano pour Lisa dans le temple de L'Invisible à Égine. Elle jouerait ces *Variations*, et la déesse serait là, j'en suis sûr. Gould, à propos de Webern, parle de « vision paradisiaque ». Aucun doute : comme avec Bach ou Haydn, possédé par la beauté sans pourquoi, sauvage, il est en extase.

Un spécialiste de Webern écrit en 2008 :

« Ce qui aujourd'hui encore, mais aujourd'hui comme en tout temps, conserve une force inentamée, c'est l'inflexibilité d'une pensée qui s'est déployée envers et contre tout, dans des conditions matérielles épouvantables et en un temps de détresse, pour reprendre l'expression hölderlinienne, une inflexibilité qui, en préservant l'œuvre de tout ce qui n'a cessé d'en menacer l'existence, lui a permis de maintenir intacte la magnitude de son rayonnement, et, en elle, celui de toute une tradition, de sorte que chaque génération peut y puiser, à travers les éblouissements qu'elle provoque, la force d'une parole singulière, fût-elle entourée temporairement d'un mur de silence. »

C'est très mal écrit, mais c'est juste. « Inflexibilité » est le bon mot. Heureux celui qui peut traverser des murs de silence.

Georges Bataille est de ceux-là. Il a redonné leur force à des mots comme « impossible », « dieu », « mort », « souveraineté », « chance », « caprice », et parfois écrit, à travers de lourdes scènes pornographiques, des choses comme ça :

« Je mangerai, baiserai, écrirai, rirai, mentirai, redouterai la mort, et pâlirai à l'idée qu'on me retourne les ongles. »

Et aussi :

« J'imagine une jolie putain élégante, nue et triste, dans sa gaieté de petit porc. »

Et encore :

« J'aimerais oublier l'insaisissable glissement de moi-même à la corruption. »

Ou bien :

« La terreur au bord de la tombe est divine, et je m'enfonce dans la terreur dont je suis l'enfant. »


Lisa pense, comme moi, que la véritable obscénité est du côté de la sobriété et de la pudeur, et que la beauté s'obtient malgré la terreur. Je ne dirai pas ce que nous faisons dans l'ombre.

# OBSCÉNITÉ

Il suffit d'allumer la télévision pour obtenir un comble d'obscénité *inconsciente*. Une Américaine féministe d'une cinquantaine d'années se promène en Égypte, en expliquant l'importance des Pharaonnes de la 19ᵉ dynastie. Elle est rousse, très gaie, un peu bouffie, elle s'abrite du soleil sous un parapluie, elle défile, excitée, devant des hiéroglyphes et des peintures tombales avec un air triomphant. Aucun doute, c'est elle qui était là, et qui s'est perpétuée à travers les siècles.

Nefertari, la femme de Ramsès II, était beaucoup plus intelligente que lui, et n'attendait qu'à se réincarner en souriante lesbienne. Elle enfile des gants transparents violets pour manipuler des pots de parfums de l'époque, elle les renifle, elle est ivre d'elle-même dans le soleil couchant. Tout est devenu convulsif et laid sur son passage, les splendides couleurs de l'au-delà sont éteintes. N'importe : le Nil peut couler tranquille, pendant que l'arrogance du nasillement yankee avale les pyramides, les momies, les temples. Pauvre dieu Thot à la tête d'ibis, souverain magique de l'écriture ! Ton règne plus ou moins occulte est fini.

Cette *profanation* (car c'en est une) a son intérêt. Elle touche au cœur même de la planète sur laquelle la vie humaine, depuis longtemps, n'a plus aucun sens. Le sacré est en perdition partout, même si, ici ou là, des foules se rassemblent pour en agiter le fantôme. En réalité, à chaque instant, cinéma, cinéma, cinéma. Supposons : je garde les images et la fraîcheur des tombes égyptiennes, j'introduis les *Variations* de Webern, le sacré millénaire, immédiatement, se dégage. La puissance immortelle de la beauté est dans l'air.

Je demande à Lisa si elle *se voit* en train de jouer, comme si elle était filmée. Évidemment, et c'est une contrainte qui l'oblige à s'écouter deux fois plus, pour se libérer du carcan de l'image. La musique est *là-bas*, loin des corps des spectateurs, et encore plus loin des micros enregistreurs et des caméras. Je lui dis que tout le monde, aujourd'hui, se vit comme jouant un rôle dans un film. « Alors c'est qu'ils sont devenus sourds, mais l'instrument, lui, ne l'est pas. »

Ce soir, elle joue uniquement pour moi, et, soudain, en regardant ses mains, je suis là, comme autrefois, sous la foudre.

Revenons à la vérité.

En 1944, en pleine guerre, malade et dans une solitude exacerbée d'angoisse, Georges Bataille écrit :

« De même qu'un tourbillon de poussière annonce l'orage, une sorte de vide ouvert aux multitudes affairées annonçait l'entrée dans un temps de catastrophes décevantes, mais sans limites. »

Il est perdu dans un petit village français, son personnage couché va se tirer une balle de revolver dans le cœur (manqué), son amie arrive après mille malentendus, ils vont boire beaucoup et déclencher une folie lourde, miroir d'un pays impuissant, pulvérisé par la défaite et la morbidité.

« L'agitation devenue peu intelligible, et l'avenir décidément insondable, les esprits s'adaptaient mieux qu'on n'aurait cru au sentiment de stupeur et même de stupidité dernière. »

Tout est catastrophique, décevant, stupide. La France est devenue une chambre provinciale étouffante, où il vaut mieux fermer les volets en entendant les cris d'une vieille femme démente. Le récit reste suspendu et inachevé. C'est, de loin, ce qu'on a écrit de plus beau *de l'intérieur* sur cette ténébreuse époque, effondrement qui se poursuit de façon décérébrée et confuse. Quelque chose de détraqué se *défait.*

« Parfois la phrase dont le tremblement court à la surface du papier a la beauté de nuages informes dans le vent. Elle annonce une pensée indécise. Saurais-je ce que je veux, la phrase se dérobe à la réflexion. Elle appelle le sommeil. Il n'est rien, tant elle est saugrenue, qui ne se perde en elle. »

C'est un des derniers textes de Bataille (mort en 1962) :

« Je parle à la fin longuement de la mort, et de la mort comment parler ? Sinon en rêvant, sinon avec le rire d'une indifférence amusée ? Qui aime se défaire comme un nuage ? Se défaire ? »

En mai 1935, Bataille est à Barcelone, il écrit *Le Bleu du ciel* (publié seulement en 1957). Il a 38 ans, il tient son journal de débauche dans les bordels du Barrio Chino, dont j'ai connu, bien plus tard, les derniers feux, avec ses belles putains parfumées, propres, *nobles.* Il écrit des choses comme ça :

« Pendant le jour, j'étais en plein soleil sur le

sable, ou dans la mer, ou je me promenais dans les rochers. Je passais souvent les nuits dans le Barrio Chino de Barcelone où je pouvais me débaucher naïvement. Il devenait évident que j'étais un homme léger et inconséquent. Quand je m'apercevais dans la glace du plafond, couché nu sur un lit auprès d'une fille également nue, je ne pouvais pas m'empêcher de rire en regardant un ciel constellé de postures aussi indécentes. »

Le mot important, ici, est « naïvement ». Je garde précieusement mon diplôme du Quartier chinois de Barcelone. J'aurais aimé écrire une phrase comme ça :

« J'éprouvai alors un insurmontable besoin d'embrasser ma vie entière en même temps, toute l'extravagance de ma vie. »

Voilà l'obscénité consciente, innocente de joie.

## GRECS

Maintenant, grâce à Lisa, le personnage qui surgit avec une puissance étonnante est Pindare, avec ses *Olympiques*, ses *Pythiques*, ses *Isthmiques*, ses *Néméennes*. Les dieux sont brusquement présents, Zeus, Apollon, Poséidon, et, de nouveau, Zeus. Je quitte sans regret mon époque dévastée mais pleine de promesses, pour scruter la beauté enfouie sous les ruines. Le soleil brille, je n'en reviens pas. En plein chaos, les Jeux, le sport, la poésie, la musique, voilà le programme.

« Dans le monde divin, sur lequel règne Zeus, règne aussi l'harmonie. Mais tous les ennemis de Zeus, et de l'ordre qu'il a introduit dans le monde, ont, au contraire, horreur de la musique. »

Les « ennemis » de Zeus ont gagné du terrain, à commencer par le plus violent d'entre eux, Typhon, précipité sous l'Etna, mais toujours actif dans les souterrains des attentats planétaires. Il fait beaucoup de bruit, Typhon, il bouge sans arrêt, et son nom, « tourbillon », le décrit à merveille. C'est une rock star, un kamikaze, un tireur spasmodique et épileptique, un délinquant drogué, un croyant. Il rêve, jour et nuit, de détruire l'Olympe, de niquer ce dieu grec et ses dieux complices, sans parler de ses déesses sans voiles qui sont une horreur pour le Dieu unique.

Il souffre encore aujourd'hui de la Grèce comme pays de l'abomination, il se demande pourquoi tous les mécréants terrestres ont osé parler de « miracle » à son sujet. Cette fausse lumière et ces temples le hérissent, il n'en dort plus depuis longtemps, de Jérusalem à La Mecque, de La Mecque à Médine. Ces Grecs sont maudits, avec leurs « Muses aux tresses violettes », leur salope d'Aphrodite « aux vives prunelles », ses charmes et ses formules capables de faire perdre la foi aux barbus les plus endurcis. Zeus doit être détruit, le Tourbillon l'a promis.

Ce Pindare semble avoir été beaucoup jalousé, attaqué, calomnié. Il s'en plaint à maintes reprises, tout en se décrivant comme une boule de liège surnageant au-dessus des flots. Il est pourtant très célèbre, demandé partout, et gagne beaucoup d'argent, d'où un ressentiment violent contre lui, puisqu'il est l'absolu contraire du « poète maudit ». Il faut dire qu'il ne se prend pas pour rien : « J'ai sous le coude, dans mon carquois, des traits rapides en grand nombre, ils savent pénétrer les bons esprits. » Écrire, en somme, c'est tirer à l'arc, comme Apollon lui-même, mais la foule est aveugle, et l'insolence importune accompagne le chant de sa folie. « L'envie s'attaque toujours au mérite, elle ne cherche pas querelle à la médiocrité. »

L'important, c'est donc de tenter la chance, sinon c'est le silence et l'oubli. Heureusement, « grâce aux dieux, mille voies s'ouvrent à moi en tous sens ». En réalité, « il en est que charment la gloire et les couronnes de chevaux rapides comme la tempête, d'autres qui aiment vivre dans des chambres où l'or abonde, il en est aussi qui aiment traverser, sains et saufs, le gouffre marin sur un vaisseau rapide ».

Oui, c'est ça, courons au-dessus du gouffre :
« De toutes les vagues, celle qui, à chaque instant, roule au long du navire, est celle qui retourne profondément le cœur. »
Je dois beaucoup à mes virées en bateau, loin des côtes. J'ai su barrer, larguer, équilibrer, m'amarrer, me désamarrer, jeter l'ancre, pêcher, dériver, surveiller les vents, les marées.

Au moindre ennui, je mets les voiles, vif ourlet de la vague. J'ai appris, très tôt, à vivre dans la clandestinité, à me méfier des terriens et de leurs points fixes. Égine, dit Pindare, est l'île amie de la musique. Amie de Lisa, en tout cas.

Platon doit avoir 10 ans à la mort de Pindare. On en voit l'écho assourdi et manipulateur dans le *Théétète* :

« Le corps du philosophe, dit Pindare, reste seul dans la ville qu'il habite, tandis que sa pensée, regardant tout cela comme peu de chose, ou plutôt comme rien, le dédaigne et vole, comme il dit, mesurant les régions au-dessus de la terre, celles qui sont à la surface, mesurant les astres qui sont au-dessus du ciel, et scrutant de toute manière toute la partie de chaque partie du monde, sans s'abaisser elle-même jusqu'à rien de ce qui lui est voisin. »

Curieuse falsification, dans un recouvrement d'ennui : Pindare n'a rien d'un philosophe, il s'élève d'un bond en voyant briller tout ce qui lui est proche, il a été comblé par les Tyrans de Sicile, Hiéron de Syracuse et Théron d'Agrigente, bref il a précisément réussi, grâce à sa splendide poésie aristocratique, là où Platon a échoué en politique avec sa philosophie.

Écoutons cet étrange poète :

« L'humanité n'est que néant, et le ciel d'airain, résidence des dieux, est immuable. Cependant, nous avons quelque rapport avec les Immortels par la sublimité de l'esprit, et aussi par notre être physique, quoique nous ignorions quelle voie le destin a tracé pour notre course, jour et nuit. »

## DESTINS

Voyez le pauvre Œdipe, aveugle, appuyé sur ses filles, à Colone. Il n'est plus qu'un étranger dans sa propre patrie, et il se dirige vers la plaine infernale des morts. Il va conquérir, sans douleur, une vie qui ne finit pas. L'endroit où il doit disparaître est très précis, il le connaît, il se fait laver et parer. Il reste seul avec Thésée, roi d'Athènes, tueur du Minotaure, lequel mangeait de la chair humaine au fond de son labyrinthe. Il n'a pas froid aux yeux, Thésée, et pourtant, on peut le voir, de loin, porter sa main droite à son front, comme s'il assistait à un spectacle effroyable. Euripide dit d'Œdipe : « Il n'est pas parti escorté de plaintes, ni dans les souffrances de la maladie, mais en plein miracle. »

Il entre vivant dans la mort : « L'assise ténébreuse de la terre des morts a eu la bonté de s'ouvrir devant lui. » Cet Incestueux majeur, dont on parle encore, ne sera pas rejoint par

Antigone, sa fille et sa sœur, qui voudrait le suivre dans ce voyage. Mais le lieu de la disparition miraculeuse reste strictement interdit. S'il y avait là un sépulcre, il serait vide. Aucun pèlerinage n'est prévu sur cette tombe. Elle n'a pas de nom. Bien plus tard, un poète allemand écrit : « Le roi Œdipe a un œil en trop, peut-être... Vivre est une mort, et la mort aussi est une vie. »

Jeune homme énergique, vous avez déjà résolu l'énigme de l'« horrible chanteuse » (la Sphinge), mais prenez note : l'inceste avec votre mère vous fera entrer vivant dans la mort.


Le poète allemand est bien entendu Hölderlin, dans un poème intitulé *En bleu adorable*. Waiblinger, qui le cite dans son roman *Phaéton*, trouve que c'est l'œuvre d'un fou : « Voici quelques feuillets de sa main qui donnent une idée de l'effroyable égarement de son esprit. Ils sont rédigés en vers, à la façon de Pindare. »

Heidegger, en revanche, l'appelle « un grand poème inouï ».


Dans une dissertation de jeunesse sur les Grecs, Hölderlin dit que Pindare ferait presque oublier tout ce qui le précède :

« Nous l'admirons, les Grecs l'idolâtraient. Sa statue de bronze, ceinte d'un diadème, se trouvait dans la galerie royale d'Athènes. À Delphes, on conservait comme une relique le siège qu'il occupait quand il chantait Apollon. Platon le nomme tantôt le divin, tantôt le plus sage. On dit que Pan chantait ses chants dans les bois. Lorsque le conquérant Alexandre détruisit Thèbes, sa ville natale, il épargna la maison qui jadis avait été celle du poète, et prit sa famille sous sa protection. Je serais tenté de dire qu'il atteint le sommet de l'art poétique par sa densité et sa concision. Pythagore fut son philosophe préféré. »


Le 10 juillet 1794, Hölderlin écrit à Hegel (ils ont tous les deux 24 ans) :

« Cher frère,

« Je suis sûr que tu as parfois pensé à moi depuis que nous nous sommes quittés avec ce mot de ralliement – Royaume de Dieu ! À ce mot, nous nous reconnaîtrions, je crois, après n'importe quelle métamorphose. Quoiqu'il t'advienne, je suis certain que jamais le temps n'effacera ce trait de ton caractère. Je crois qu'il en sera de même pour moi… Tu es plus que moi en accord avec toi-même. Le bruit ne te gêne pas, moi j'ai besoin de silence. Les joies ne me manquent pas non plus, mais toi tu les trouves partout. »


Voilà deux jeunes gens qui se doivent beaucoup l'un à l'autre, et auront des destins très différents. Le « royaume de Dieu » n'est autre, pour eux, que la « nouvelle Église » fondée après la Révolution française, dont ils sont d'abord d'ardents partisans. Hegel introduit la philosophie dans l'Histoire, mais Hölderlin, lui, devine comme personne la résurrection des dieux grecs. Ils ont eu lieu, ils se sont enfuis, mais ils sont toujours là, et, parfois, ils font signe :

« À l'homme de profond désir, un signe

Suffit, et les signes sont,

Depuis l'aube des temps, le langage des dieux. »


Désormais, plus de profond désir, plus de signes, plus de langage des dieux, alors que Pindare peut déclarer tranquillement l'énormité suivante :

« Souvent les jeunes filles, pendant la nuit, viennent chanter la Grande Mère, avec Pan, sur le pas de ma porte. »

Pan, « le bienheureux », est appelé par les Olympiens « Le chien innombrable de la Grande déesse ». On dirait que Pindare le voit courir, avec Hermès, dans les Jeux.

De toute façon, ce poète est un familier quotidien des dieux. Il décrit Dionysos comme « la pure lumière de l'automne », et Artémis comme « la déesse souveraine des fauves ». Voici ce qu'il dit d'Apollon :

« Il sait compter les feuilles du printemps et les grains de sable de la mer ou des fleuves, il voit clairement l'avenir et son origine. »

Et de Zeus :

« Celui qui lance la foudre, et l'essor rapide des flots et des vents, les nuits et les chemins de la mer, et les jours propices, et la joie du retour. »

## BORDEAUX 1

À son retour de Bordeaux, en 1802, Hölderlin écrit une lettre extraordinaire à l'un de ses amis. Il a marché longuement en France, et, en arrivant dans le Sud-Ouest, il a une illumination, il est en Grèce, Apollon le frappe. Voici comment il voit les corps qui se présentent à lui. Il discerne en eux « l'élément sauvage, guerrier, le pur viril à qui la lumière de la vie est donnée immédiatement dans les yeux et les membres, et qui éprouve le sentiment de la mort comme une virtuosité où s'assouvit sa soif de savoir ».

Voici donc « l'aspect athlétique au milieu des vestiges de l'esprit antique ». Ces corps sont les seuls vrais descendants des Grecs. Ils savent d'instinct que le plus proche est ce qu'il y a de meilleur. Ils sont aussi marins, et « le marin sait les îles ». Nous voici à Bordeaux :

    « Là vont aux jours de fête

les femmes brunes
sur le sol doux comme une soie. »


Que s'est-il passé pour Hölderlin à Bordeaux ? Personne n'en sait rien, mais le 11 juillet 1803 Schelling écrit à Hegel :

« Depuis ce fatal voyage, son esprit est tout à fait altéré, et, bien qu'il soit encore, dans une certaine mesure, capable de faire certains travaux (par exemple des traductions du grec), il se trouve dans un état d'absence totale de l'esprit. »


Schelling ne comprend rien, il juge sur l'apparence :

« Sa vue m'a bouleversé : il néglige son extérieur au point de provoquer du dégoût, et si ses discours n'indiquent pas tellement d'aliénation mentale, il a entièrement adopté les manières de ceux qui sont dans un pareil état (…). Si seulement on pouvait remporter la victoire sur son extérieur, il ne donnerait guère de souci, car, à part cela, il est tranquille et replié sur lui-même. »


Ah l'« extérieur » ! Disons les choses : Hölderlin est devenu infréquentable en société, il ne sera jamais ni professeur ni pasteur. Sinclair, en août 1804, est plus perspicace : « Ce

41

qui fait l'effet chez lui d'un désordre mental, est une attitude extérieure adoptée après mûre réflexion. »

Voyez comme je suis négligé, mal habillé, muet, solitaire. Je n'ai que faire de votre *extérieur*. Lisez, si vous le pouvez, mon poème sur Bordeaux.


En réalité, loin de sa relation hyper-romantique avec Suzette Gontard à Francfort, Hölderlin a rencontré les « femmes brunes sur le sol de soie », et l'une ou l'autre d'entre elles (c'est curieux qu'il n'y ait eu personne pour l'imaginer) a dû lui apparaître comme *une vraie Grecque* de l'antiquité. Il n'en parle pas précisément, mais la lumière d'Apollon est éblouissante, le vin de Dionysos enivrant, et Aphrodite « aux vives prunelles » est là, avec ses jardins, ses fleuves, ses formules, ses charmes. Lors de son retour, en passant par Paris, il voit les sculptures grecques du Louvre : voilà une confirmation.


Si vous voulez un autre indice de cette aventure secrète, regardez un des derniers tableaux de Goya, mort à Bordeaux en 1828. *La Laitière de Bordeaux* vous prend dans ses bras : c'est ça ou la folie, l'extrême douceur sensuelle ou le sabbat des sorcières. À quoi bon, pour Hölderlin, revenir au pays des fous ? Je vais faire le fou, et rester inaperçu, là-bas, près de l'océan et des vignes.

À l'aller, de Francfort à Bordeaux *à pied*, vous voyez l'abîme. Enfin, la Révolution a eu lieu en France, et cela change par rapport à l'atmosphère confinée prussienne, et des touchants états d'âme mélancoliques de Diotima-Suzette. Voici son style quand elle lui écrit :

« Seules les larmes que je verse sur notre destinée peuvent encore m'apaiser… » Et encore : « La souffrance, je le sais, ne fera que nous rendre meilleurs et nous unir plus intimement… »

Eh non, la barbe, le soleil brille, les oiseaux chantent, et Lisa m'attend dans les bois. Diotima, et c'est tragique, sent qu'elle va mourir, elle tousse beaucoup, elle frissonne. Hölderlin apprend sa mort à son retour. Il s'enferme dans sa solitude.

Pour sa marche de Bordeaux à Strasbourg, un passeport lui est délivré « le vingt floréal an 10 », par la République française « une et indivisible ». Le Commissaire Général de police de Bordeaux demande à toutes les autorités civiles et militaires de laisser voyager librement cet étrange étranger, en lui prêtant aide et assistance dans toutes les occasions. Il a 32 ans (le document dit 34), il mesure 1 m 75, a des cheveux et des sourcils châtains, un visage ovale, un front haut, des yeux bruns, un nez long, un menton rond. Vous l'avez reconnu ? C'est lui.

Il a dans sa poche un volume en grec de Pindare, et semble étourdi d'avoir découvert un pays qui a changé si vite de régime et de calendrier. Inutile de préciser que la formule « une et indivisible » le fait rire intérieurement, puisqu'il a été, à 20 ans, comme ses camarades de Tübingen, partisan des fédéralistes Girondins exécutés en 1793. « Floréal » lui plaît, même si on a été obligé de lui expliquer qu'en avril on n'est plus entre mars et mai, mais entre germinal et prairial. Voilà une façon charmante de raconter le temps. Prairial ne lui convient pas (Terreur sanglante), Thermidor a sa préférence (mort d'un tyran).

Il écrira, bien plus tard : « L'esprit de la vie change avec le temps de la nature vivante », de même qu'il a déclaré : « Qui a pensé le plus profond aime le plus vivant. » Il aime la vie profonde. Il est en route vers la tour où il restera 36 ans, puisqu'il est « fou ». De temps en temps, il écrit un poème rapide :

« Les lignes de la vie sont diverses,

Comme les routes et les contours des montagnes,

Ce que nous sommes ici, un dieu là-bas peut le parfaire,

Avec des harmonies et l'éternelle récompense du repos. »

Il se lève, joue un peu sur son épinette, rythme ses vers, écrit et déchire. Il a une très belle vue fleurie sur le Neckar, et repense souvent à la « royale Garonne ». Tous ces lieux n'en font qu'un, et la clarté philosophique rayonne par la fenêtre.

# INSPIRATION

Hölderlin s'éteint à Tübingen le 7 juin 1843. Sautons un siècle, et nous voici, avec un énergique écrivain français, dans l'Allemagne en feu, sous les bombes. Un témoin raconte :

« Céline s'engageait dans un monologue inouï, la mort, la guerre, les armes, les peuples, les continents, les tyrans, les nègres, les Jaunes, les intestins, le vagin, la cervelle, les Cathares, Pline l'Ancien, Jésus-Christ. La tragédie ambiante pressait son génie comme une vendange. »

Rien ne manque : explosions continues, trains en folie, villes en ruine, ciels bouleversés de toutes les couleurs, blessés, cadavres, recherches épuisantes de nourriture, hurlements, délires, gesticulations de marionnettes, dialogues cinglés, vertiges, femmes enceintes entassées, enfants plus ou moins perdus, châteaux hantés, disparitions mystérieuses. On comprend que le dernier grand livre de Céline, *Rigodon*, soit dédié « aux animaux ». L'être humain n'est plus digne de sa condition animale. Un simple chat, dans ce chaos sanglant, vaut bien mieux que lui.

Céline arrive enfin à Copenhague. La Grand-Place, avec son théâtre, lui fait penser à Bordeaux, « en moins réussi ». Il s'isole dans un parc, avec l'héroïque Lili, laisse le chat Bébert gambader dans l'herbe, et ouvre *enfin* le double fond de la musette qu'ils ont trimballée en enfer. Elle contient leurs passeports, leur livret de mariage, un pistolet Mauser de dame, et quatre ampoules de vrai cyanure de potassium, la mort en direct.

Il regarde devant lui une prairie, il croit rêver, mais non. Toute une série d'oiseaux sont là, échappés du zoo de Berlin. L'un est gros comme un canard ébouriffé, mi-rose mi-noir, et voici un ibis, un paon, un toucan, un oiseau-lyre, une aigrette. Céline et sa femme, ces deux parias épuisés, sont brusquement devenus charmeurs d'oiseaux. Céline, du fond du français, comprend leur langue, assis sur un banc, au Danemark, avec sa *musette* sauvée du feu.

Hölderlin, à Bordeaux, du fond de l'allemand et du grec, parlait la langue du silence et du vin. Il n'est pas venu à Copenhague où Céline a vécu des mois dans une cellule pour condamnés à mort. Il a très bien écrit ça, très au-dessus des scribouillards de son temps. Qui n'a pas lu *D'un château l'autre*, *Nord* et *Rigodon* ignore tout du terrible et comique bordel *intérieur* de l'Apocalypse. Des tonnes de cinéma, là, ne disent rien et ne montrent rien.

Céline meurt à Meudon en 1961, à 67 ans. De sa fenêtre il pouvait voir un vaste panorama jusqu'à la Seine. Sa tombe comporte une dalle gravée d'un voilier. Il termine *Rigodon*, écrit à son éditeur, pose sa plume et meurt. C'était un vivant-mort, d'une vivacité singulière. Tout autre est le mort-vivant Hölderlin, dans sa tour de Tübingen, où il meurt à l'âge de 73 ans, dans l'indifférence générale. Voilà, quand même, un vrai dialogue franco-allemand.

Je poursuis ma course avec Pindare. Pourquoi ne serais-je pas un aigle, le roi des oiseaux aux ailes rapides ? Seuls Apollon et les Muses peuvent m'endormir, avec leur nuage sombre. Mes paupières se ferment, mon dos souple se soulève en cadence, possédé par la magie des sons. Vous ne me croyez pas, mais vous n'êtes pas là pour me voir, pas plus que vous ne percevez les Muses aux amples draperies qui m'entourent. Pauvres mécréants, continuez à gesticuler sur place.

Je crois fermement que les dieux nous donnent le talent, la force des bras et l'éloquence. Je me débrouille très bien au javelot, d'autant plus que Zeus mène toutes choses à leur terme. Quoi qu'il en soit, lecteur, je t'envoie aujourd'hui ce chant à travers la mer grise. Tu sais que je n'aspire pas à la vie immortelle : je me contente d'épuiser le champ du possible. Crois-moi, c'est du boulot. Si tu m'écoutes, je t'apparaîtrai peut-être plus radieux qu'un astre du ciel, après avoir traversé la mer profonde. Mais non, je vois que tu dors, bourré d'informations, de publicité et de tranquillisants inutiles. Tu rêves, ta vie est un cauchemar vaseux.

Tu te doutes que je suis humble dans l'humble fortune, mais attention : je peux être grand dans la grande. Je résiste à la vague capricieuse, j'écoute l'oracle de l'abeille delphique, mes paroles ne tombent jamais à terre, l'éclat du printemps rouge me rejoint, je suis mon désir irrésistible en compagnie du père des chants mélodieux, l'illustre Orphée. Maussade habitant de cette planète errante, tu ne comprendras jamais la divination des oiseaux. Tant pis : tu passes ton temps à tituber, ils volent. Tu ignores la direction des vents, tu es incapable de saisir leur *rose*. Ces lignes de *rosée* t'échappent, le matin, dans l'herbe, au milieu des pâquerettes survolées par les mouettes sacrées. Il ne te viendrait pas à l'esprit de froisser dans ta main une feuille de laurier, pour respirer le parfum d'Apollon lui-même.

Très bien, je continue de plus belle, et, comme dit notre auteur, toujours modeste, « À bien d'autres, je sais montrer la voie du génie ». Je n'oublie pas pour autant la présence de ma musicienne, seule bénédiction dans une société humaine en folie. Sachez seulement que « lorsque les dieux ont un désir, l'accomplissement en est prompt, et les voies en sont courtes ». Pas besoin de détails précis. Un moment, conduit par les Grâces « à l'ample ceinture », j'ai le temps d'apercevoir Cyrène « aux bras admirables », en train de se battre avec un lion, et même, dans un éclair, Aphrodite « aux pieds d'argent ». Logiquement, je suis emporté vers Égine, « mère chérie », et j'entends, une fois de plus, la voix de Lisa me faisant jouir (« je suis ta mère ») comme son enfant. Comme elle joue bien, cette fille de la foudre ! Toute la gamme !

Maintenant, le vol s'accélère au-dessus de la terre fleurie de roses pourpres, et voici les roseaux d'Agrigente, berceaux de fraîcheur. Comme d'habitude, après une nuit d'amour, l'étoile des amants éclipse les autres astres.

Nous atteignons Délos, « l'île embaumée ». Des marins naviguent, actifs comme des dauphins. Ils sont de bon conseil : « Le mieux est de toujours regarder le présent, quel qu'il soit. » Et voilà : des jeunes filles au regard vif sortent d'un brouillard doré. Sacré Pindare, il fait surgir ce qu'il faut quand il faut.

# ŒDIPE

Œdipe n'a pas eu la chance d'être bercé par sa mère, d'où la tragédie dont on fait tout un plat. D'accord, il tue son père, il baise et engrosse sa mère, il devient le père et le frère de ses filles, mais l'important c'est qu'il soit apte à procréer pour que l'inceste ait réellement lieu. Il ne serait jamais venu à l'idée de Freud qu'une mère puisse faire jouir stérilement son enfant mâle, *et que celui-ci s'en souvienne.* Jocaste sait ce qu'elle fait. Œdipe et Freud n'y voient que du feu.

Tout à coup, Cybèle, la mère des dieux, entre en scène, au son des timbales et des cymbales. Quel boucan ! Partout, des torches de résine brûlent, de lourds gémissements se font entendre, des cris délirants signalent la présence des bacchantes, avec leur brusque secousse du cou rejeté en arrière. Dionysos est là, couronné de lierre, et, dans un coin, la belliqueuse égide de Pallas parle par la voix de dix mille serpents. Pan, le danseur le plus parfait entre les dieux, distille son propre chant. Il faut sentir que « les cœurs grandissent, domptés par l'arc de la vigne ». Jadis, si je me souviens bien, ma vie était un festin où tous les vins coulaient, où s'ouvraient tous les cœurs.

Pindare est buveur, chanteur, danseur, et il est convaincu « qu'il n'y a rien à changer, rien à blâmer, dans tout ce que produisent la terre splendide et les vagues de la mer ». Des lions, des tigres, des panthères, des guépards ? Artémis s'en occupe. Des baleines, des requins, des dauphins, des otaries, des crabes ? Les Muses sauront en tirer des couronnes, comme elles en fabriquent sans cesse à votre insu, avec l'or, l'ivoire, ou « le rouge fruit de la mer », le corail.

Pindare était si aimé de son temps qu'on gravait ses poèmes en lettres d'or dans les temples, notamment ceux d'Athéna. Imaginez, un peu partout, en France, des stèles ou des inscriptions du même ordre, rappelant aux habitants les *Illuminations* de Rimbaud, avec, au fronton des mairies, cette formule de Pindare : « Les mortels doivent tout ce qui les charme au Génie. » Quel soleil sur le pays ! Quel surcroît d'énergie ! Quel hommage aux Muses « à la voix de miel » ! Quelle beauté ambiante, évoquant la naissance de la blonde Athéna, jaillie du front de son père en poussant un cri formidable ! Pour libérer cette fille « à la lance frémissante », il a fallu défoncer à la hache le crâne de Dieu. Voilà une opération cruciale, à commémorer sans cesse.

Ce n'est pas moi, mais un ami, l'écrivain juif américain Philip Roth, qui a écrit ce qui suit :

« Pas le dieu des Hébreux, infiniment seul, infiniment obscur, monomaniaque dans son essence de dieu unique hier-aujourd'hui-demain, qui n'a rien de mieux à faire que de s'occuper des Juifs. Pas non plus l'homme-dieu des chrétiens, parfaitement désexualisé, avec sa mère immaculée, et toute la culpabilité et la honte qu'inspire cette désincarnation subtile. Mais plutôt Zeus le Grec, aux prises avec ses aventures, expressif, plein de vie, capricieux, sensuel, dans ses noces exubérantes avec la richesse de son existence, rien d'un dieu solitaire, et rien d'un dieu caché. La souillure *divine*, au contraire. »

Ici, un psychanalyste hoche la tête, et souligne un trait éminemment *œdipien*. Un chrétien offusqué (sauf Bataille) passe son chemin, tandis qu'un musulman radicalisé tâte son couteau dans sa poche. Un Juif religieux se renfrogne, ce n'est pas la première fois que cet auteur *exagère*.

Enfin, il s'est assagi, il est très célèbre, nous l'aimons quand même, puisque sa célébrité, certes contestable, rejaillit sur nous.

Pindare, lui, sourit : où cet excellent écrivain moderne a-t-il pris l'idée que Zeus se *souille* dans ses aventures ? N'y a-t-il pas là, malgré tout, un reste de point de vue *chrétien* ?

# JEUX

Les *Olympiques* sont consacrées à Zeus, les *Pythiques* à Apollon, les *Isthmiques* à Poséidon, et les *Néméennes* de nouveau à Zeus. Débrouillez-vous avec tous ces Jeux, essayez d'imaginer la vie intense de ces athlètes disparus, dont les noms ont été immortalisés par Pindare. Il vous reste des Jeux, mais plus de poésie. Vous avez un spectacle, beaucoup de commentaires autour, mais plus de dieu pour le dire. Le seul dieu qui veille à tout, désormais, est l'argent.

Qu'est-ce que Zeus, Apollon ou Poséidon viendraient faire aujourd'hui dans les stades ? À moins qu'ils ne soient là, inaperçus, attentifs, souriants, sélectifs, mélangés à l'eau (pour la nage), à la neige (pour le ski), à l'herbe (pour le foot ou le rugby), au gazon ou à la terre battue (pour le tennis), au macadam (pour les courses de voitures et le cyclisme). Apollon aime bien la boxe, Poséidon préfère le catch, Zeus se délasse en kayak, ou en surf sur les vagues. Apollon est toujours vainqueur au marathon de New York, personne ne peut battre Poséidon à la perche ou au saut en hauteur. Apollon prend sa revanche au triple saut en longueur, Zeus est aussi performant au 100 mètres qu'au 5 000 mètres, mais impossible de le défier au javelot, au marteau, au disque, aux haltères. Apollon est le tireur absolu : sa main ne tremble jamais, il met tout dans le mille.

Sans l'aide de Poséidon, vous n'irez pas loin à la voile. Les dieux grecs acceptent très bien le basket, le volley-ball, le hand-ball, mais sûrement pas le base-ball. Ils méprisent le cricket et le golf, mais raffolent (surtout Apollon) de l'escrime. Apollon, on ne le sait pas assez, a été très amoureux d'une mortelle, escrimeuse géniale, Daphné. Je pense à elle, chaque fois que je vois un arbre dans lequel elle a été transformée, le laurier. Non, je ne me suis jamais métamorphosé en pluie d'or pour séduire Danaé, seulement en cygne pour Lisa, pardon, pour Léda. Oui, c'est vrai, j'ai brûlé l'insolente Sémélé à Thèbes, mais j'ai sauvé du feu mon fils Dionysos.

Mes sanctuaires, à Olympie, à Dodone, en Crète, sont connus dans le monde entier, et surtout, à Olympie, ma statue, en or et en ivoire, sculptée par Phidias. Je laisse Delphes à Apollon pour la Pythie et les Jeux pythiques, j'abandonne à Artémis le temple d'Éphèse, où, assez souvent, j'ai inspiré un penseur remarquable, Héraclite. J'ai enfin donné à ma fille préférée, Athéna, une ville entière, dont les habitants ont jeté la base éclatante de la liberté. Voici ce qu'en dit Pindare :

« Ô toi, la brillante, toi dont le front est couronné de violettes, toi que célèbrent les poètes, rempart de la Grèce, illustre Athènes, divine cité ! »

À Dodone, il faut savoir écouter le bruissement des chênes de mon bois sacré : c'est là que je parle.

Délos, « l'île enbaumée », qui est aussi « un astre resplendissant au loin de la sombre terre », appartient à Apollon.

Bref, tout fonctionne sans cesse, mais dire comment n'est pas à la portée de n'importe qui :

« La Muse se tenait à mes côtés, quand j'ai inventé, dans sa fraîcheur brillante, un nouveau mode d'associer à la cadence, le chant, parure de la fête. »

Et puis :

« Tant de choses ont déjà été dites, de tant de façons ! Trouver du nouveau, et le soumettre à l'épreuve du jugement, voilà le grand risque ! »

Il a risqué, et il a gagné, puisqu'il est imprimé ici, dans un roman écrit par un bizarre écrivain français, au début du 21e siècle, démontrant que le vrai nouveau est le plus ancien.

## BORDEAUX 2

Le 15 mars 1802, à Bordeaux, Hölderlin est
très content de sa chambre. Il fait doux, le soleil
philosophique glisse jusqu'à sa main droite par
la fenêtre ouverte, les vitres de la grande avenue
élégante brillent de mille feux. C'est le moment
d'improviser. Où es-tu, source des pensées ?
C'est déjà le jour, mais la nuit me tient toujours
captif de ses prodiges. Et pourtant, ce matin je
vais chanter l'accord majestueux de la vie.

Y a-t-il quelqu'un pour entendre cette
cadence ? Aujourd'hui, non. Faut-il continuer
malgré tout ? Oui, disent ensemble le soleil,
le papier, l'encre, les pierres, les fenêtres, le
fleuve. Un jour, les esprits seront saisis de stupeur, et les os frémiront, comme frappés de
la foudre. Pour l'instant, le manque de dieu
domine, mais ce manque pourra se changer en
aide. Il suffit de ne pas oublier les îles aimées,
prunelles du monde merveilleux, et, là-haut,

les fleurs toujours heureuses des étoiles épanouies.

Ici, Hölderlin s'arrête, et cache ses papiers. Il ne faudrait pas qu'une indiscrétion, au consulat allemand où il se trouve, le fasse déclarer fou, donc dangereux pour l'éducation des enfants. Il rajoute quand même : « Chaque jour je m'en vais, cherchant toujours une autre voie », et aussi, pensant à son aventure clandestine de la veille : « Aux amants, une autre vie est accordée. »

Il descend déjeuner chez le consul, puis va marcher sur les quais, dans « la lumière du monde délié ».

Ces déjeuners quotidiens à la table du Consul sont pour lui un supplice. La femme du Consul, Elfriede, est une sorte de vache blonde, totalement ignorante et très puritaine. Ses jeunes garçons sont idiots et n'apprendront jamais rien (ils se foutent éperdument de Homère, Sophocle, ou Pindare). Le Comptable, Karl, est aussi réactionnaire que son patron, et ils détestent tous les deux la Révolution française. Ils n'aiment pas non plus le pays, pourtant sublime. Quel ennui !

Qui l'a dénoncé, Hölderlin ? Karl, sans doute, qui a surpris son étreinte, dans le grand jardin tout proche, avec la femme de chambre, amoureuse du beau Précepteur. En apprenant ça, Elfriede exige immédiatement le renvoi de ce domestique pervers. Le Consul, soumis à sa femme, mais plus froid qu'elle, évite le scandale (le deuxième, après celui de Francfort avec Suzette Gontard, une femme mariée avec enfants), et moyennant finance, réussit à obtenir un passeport pour *exfiltrer* ce révolutionnaire parlant grec. Qu'il parte sans faire de bruit ! Une liaison avec une employée de maison, une allumeuse brune comme sont toutes les femmes dans cette région dissolue ! Quel manque de goût ! Si encore il avait fait sa cour, modestement, et de loin, à Elfriede !

Cette révélation du Comptable, à propos du comportement débauché du Précepteur Hölderlin, tombe à pic. Cela fait des semaines qu'Elfriede supporte de plus en plus mal l'attitude prétentieuse de ce jeune homme (un démon chez mes enfants !), d'autant plus qu'il ne parvient pas à dissimuler le peu d'attirance qu'il a pour elle. Jamais une attention, un compliment, un trouble. Elle l'interroge sur sa famille, ses amis : il répond n'importe quoi, et retombe dans son silence. Pire : il est souvent fantasque, et les enfants se plaignent qu'il leur fasse réciter des poèmes antiques incompréhensibles. Elfriede, bien entendu, a fouillé sa chambre, et là, parmi des livres illisibles en grec, elle est tombée sur un volume français, dont l'auteur est infréquentable, Jean-Jacques Rousseau (un révolutionnaire chez mes petits Allemands !). Et ce n'est pas tout : au fond d'un tiroir, un portrait de jolie femme brune, Suzette ! La Gontard ! *Liebe !* C'est trop.

Le comble, c'est que Monsieur se prend pour un grand poète. Il vient de sortir en promenade avec les enfants. Elfriede entre dans sa chambre, ouvre le tiroir de son bureau, et commence à lire ses papiers. Elle est tout de suite épouvantée. Elle n'y comprend rien, ce type est décidément cinglé, il vit dans un autre monde, il faut qu'il parte au plus vite. Écoutez ça :

« Tu t'ouvres à moi comme une fleur, Asie ! »

Et ça : « Le vert sacré des prairies, témoin de la bienheureuse et profonde vie du monde. »

Il est donc *païen*, mais, heureusement, le pasteur local nous protège de cette abomination (mes enfants devenant *païens* !). Qui est ce « Dionysos » qu'il célèbre ? Un satyre, un forcené, un obsédé sexuel, un buveur de vin (mon mari boit trop, c'est le malheur de Bordeaux). Enfer ! Il parle de ce dieu de la façon suivante : « Sa joie est de tout temps, pareille à la verdure impérissable des pins qu'il aime, à ce lierre aussi qu'il a choisi pour sa couronne. » Pas étonnant que, dans ces conditions, il ajoute : « Toute la force rassemblée s'embrase dans le printemps exubérant. » On sait ce que signifie ce *prin-temps* : une séance d'amour très vulgaire dans le jardin où l'a vu Karl, le Comptable.

Ce fou est souvent exalté, et s'exclame : « Ô miracle, ô faveur de la nuit sublime ! » Ou encore (je me demande bien ce qu'il veut dire) : « Pour que nous traversions la nuit au comble de l'éveil ». Aucune piété sérieuse dans ce fatras, rien qui témoigne du souci d'élever les enfants dans le respect de la morale, des affaires et du Droit. Que signifie « l'oiseau d'orage marque le temps » ? Et : « Le flot à jamais fugitif des torrents chante ce que dit le destin » ? Et encore : « Les fleurs fleurissent plus belles dans le silence » ? Bavardage et élucubrations de dément.

Et voici un blasphème (le pasteur pourra me le confirmer) : « Ô grand dieu de la mer, ô toi qui ne meurs pas ! » C'est un vrai mécréant qui parle. On en a brûlé pour moins que ça. Même absurdité dans « le dieu silencieux du temps », et, confession d'un vrai possédé : « Une Loi veut que tout se glisse, comme des serpents au cœur des choses. » Et le voilà qui gémit : « Ô dieux enfuis ! » Comme si on devait regretter tous ces nus obscènes qui encombrent encore les musées et les églises catholiques, sans parler des Muses insolentes qui déparent la façade du Grand Théâtre de Bordeaux (ville propre, d'ailleurs, bien que gouvernée par des fanatiques qui se croient en l'an 10).

Elfriede n'en peut plus, elle a très mal à la tête. Elle soupire en lisant : « Le Futur brille et nous parle », et « les forces étranges nous sont confiées ». Elle se demande à quoi pouvait penser ce pauvre garçon en écrivant : « Les jours se mêlent dans un ordre plus audacieux », et, en plus obscur encore, « les amants demeurent tels qu'ils furent ». Toujours plus obscur : « Nul, sans ailes, n'a le pouvoir de saisir ce qui est proche. » Et carrément paranoïaque : « Les poètes habitent au-dessus du vol des oiseaux. » Et puis quoi encore ? Et il ose appeler ça des « Hymnes » !

Hölderlin ne se doute pas que la vraie raison de son renvoi vient surtout d'Elfriede. Il va donc retraverser la France à pied, s'attarder quelques jours à Paris, et poursuivre vers Strasbourg. A-t-il été attaqué en chemin par des voleurs ? C'est possible. Mais *Souvenir* (*Andenken*), composé en 1803, est une réussite splendide. La « royale Garonne » en garde une mémoire émue. Lisez-le donc lentement « en vous laissant bercer comme une tremblante barque de la mer ».

Lisa aime beaucoup *Souvenir*, surtout ce vers :

« L'amour, de ses yeux jamais las, fixe et contemple. »

# RÊVRER

Maintenant, je rêve.

Pourquoi ai-je commencé cette escalade impossible ? Falaise à pic, très peu de prises pour les mains, ne pas regarder en arrière à cause du vertige, je n'y arriverai jamais, le sommet est trop loin. Quelques centimètres de plus, mes paumes sont en sang, les pieds trouvent difficilement un appui, des pierres tombent. Je ne sais rien du pays où je me trouve et je n'ai jamais vu cette montagne au bord de la mer.

Pourtant, je parviens en haut, je peux basculer de l'autre côté, je suis épuisé, je m'endors tout de suite. Au réveil, je vois une belle forêt en pente douce, un vallonnement continu printanier. Lisa doit m'attendre là-bas, la région est très calme, il y a forcément un refuge et un restaurant au bout de ce bois.

Curieusement, je me retrouve à Bordeaux, devant l'immeuble où habitait ma mère, morte il y a plus de vingt ans. Elle doit être là, pourtant, je vais sonner sur son interphone (son nom est écrit dessus), quand un inconnu, très courtoisement, m'ouvre la porte. Ça y est, je suis devant son appartement, mon cœur bat. Elle ouvre, elle est debout dans le long couloir, il fait sombre, elle a l'air très triste. Elle dit : « Docteur, je suis presque aveugle. » Je m'approche et lui dis : « Ce n'est pas le docteur, c'est moi. » Et elle : « Ah, c'est toi ? » Je l'embrasse passionnément, elle doit à peine me voir, elle passe ses mains sur mon visage, et dit simplement : « Mais tu pleures ? ». Eh oui, je pleure de joie au fond de l'Enfer. Je suis monté où il fallait, et descendu dans le bois sacré. La petite chérie, à la peau si douce, est vivante.

J'ai donc été aidé, contre toute attente, par des ondes gravitationnelles. La trame du monde dans lequel nous vivons est, on le sait de mieux en mieux, un contenant élastique, susceptible d'onduler à la manière des rides à la surface d'une eau perturbée par le lancer d'un caillou. L'univers tout entier *vibre*. Voyez ces deux trous noirs en train de fusionner en deux dixièmes de seconde, un clin d'œil. Ils font une trentaine de masses solaires chacun, ils ont tourné l'un autour de l'autre pendant des centaines de millions d'années, d'abord très lentement, puis de plus en plus vite. Et là, on vient de voir les quelques dernières orbites et leur fusion. On « attrape » la fin du signal (0,2 seconde) qui a voyagé pendant un milliard d'années avant d'arriver sur Terre. Dans tout ça, j'étais un caillou, et maman (que Dieu la protège !), un autre caillou.

La particularité de ces rêves est qu'ils sont puissamment *réels*. Aucun doute : cette falaise était là, Lisa m'attendait au refuge, j'ai embrassé ma mère morte, plus vivante que jamais. Pour décrire cet épanchement du rêve dans la vie réelle, et de la vie réelle dans le rêve, cette porosité gravitationnelle qui annule l'opposition entre intérieur et extérieur, je suis obligé d'inventer un mot, non plus « rêver », mais « rêvrer ».

RÊVRER.

Je rêve *vrai*, après quoi je suis dix fois plus réveillé, ce qui me donne l'impression que tout le monde dort. Ça s'agite beaucoup, mais ça dort. Dans l'espace-temps, aucune différence entre veille et sommeil, chaque détail brille d'une présence indiscutable. Les transpositions peuvent se multiplier, puisque voici brusquement mon père, engouffré dans une guerre, ou allongé dans son cercueil, le visage blanc. Un de mes grands-pères est à la barre d'un bateau à voile. Je ne suis pas encore né, mais c'est pareil.

À présent, je marche tranquillement, avec Hölderlin, dans le grand jardin public de Bordeaux. Il me montre le banc isolé, sous un magnolia, où Karl le Comptable du Consulat allemand l'a découvert avec une jolie paysanne brune. Il n'a pas l'air surpris d'être là, deux cent quatorze ans après son séjour. Il parle un français parfait, léger accent, phrases courtes. Il veut savoir ce qui se passe à Paris, et a l'air un peu étonné quand je lui dis : « Rien. » Il se lève, et disparaît sous les arbres. Nous sommes en floréal an 10, tout cela est *normal.*

Les lois de la relativité s'appliquent en tourbillons successifs, dont les êtres humains, sur Terre, n'ont, en général, qu'une perception confuse. À moins de suivre le Prophète, qui les prévient que la mort est l'antichambre du vrai réveil, ils se perdent vite dans leur roman familial, tournent en rond, ramassent l'argent qu'ils peuvent, s'éternisent sur des divans psy, sont dépassés par leurs ordinateurs, s'occupent de leurs enfants, circulent. S'ils voyagent, leur espace est très limité, et ils prennent des photos pour se rassurer. Le temps, sans arrêt, les divise. Comme ils ne lisent plus rien depuis longtemps, la beauté leur échappe, cachée par des flots d'images. Pas question, pour eux, de *rêvrer.*

On peut appeler *amour* l'abolition instantanée des distances. Les trous noirs sont des gouffres de haine ou d'amour. Il m'arrive souvent de *rêver* de Lisa en train de jouer, et je suis là, sur scène, à côté d'elle, mais invisible pour le public venu l'écouter. C'est très bref, et je saisis le moment où elle ne joue que pour moi. Un temps énorme et très beau passe alors par ses doigts.

Ces moments n'ont rien à voir avec des hallucinations ou des effets de drogue. Ils sont précis, lucides, que je dorme ou que je sois éveillé. J'ai été somnambule, je sais de quoi je parle. Soudain, le rebord d'un toit : un pas de plus et c'est la chute. Ou bien, assis à un bureau, la nuit, lampe allumée, un livre ouvert devant moi. Aucun souvenir de m'être levé, il est trois heures du matin, je *lisais,* ou plutôt le livre se lisait tout seul à travers moi. J'ai noté, cette fois, un vers de Hölderlin dans *La Mort d'Empédocle* : « Ô Nature intime, toi que j'ai là sous les yeux ! » C'est exactement ça.

## CACHETTE

J'ai beaucoup lu en cachette, pour échapper à la surveillance ambiante. D'abord, pour trouver, ici et là, des passages érotiques, bien plus convaincants que les images pornographiques qui s'effacent instantanément. Les phrases résistent à tout, aucun bruit ne peut les faire taire, elles viennent de très loin, elles traversent les murs. « Lire en cachette » est une expression qui reprend aujourd'hui tout son sens : *à la dérobée.* Je n'en finis pas de me dérober au bavardage universel en ouvrant des livres. Le chcf-d'œuvre absolu est quand même le *Dictionnaire Larousse illustré,* là, à côté de moi. D'un mot à l'autre, d'une vignette à l'autre, d'une carte à l'autre, d'un portrait à l'autre, d'une date à une autre date, c'est un grand voyage. Le grec et le latin se jettent amoureusement dans le français, toute l'Histoire demande à parler.

« Friedrich Hölderlin, *Lauffen 1770 - Tübingen 1843*, poète allemand. Son roman (*Hypérion*, 1797-1799), ses odes et ses hymnes élèvent vers le sacré le lyrisme romantique et la mission du poète. »

« Empédocle, *Agrigente v. 490 - v. 435 av. J.-C.*, philosophe grec présocratique. La sagesse qu'il enseigna repose sur une cosmogonie assimilant le devenir du monde à un cycle, où les rapports des quatre éléments sont régis par l'Amour qui unit et la Haine qui divise. Il aurait choisi de mourir en se jetant dans l'Etna. »

J'ai prié pour Empédocle, à Agrigente, dans le grand temple dorique de la Concorde. Comment ne pas prier pour un dieu, qui, pour le prouver, s'est jeté dans un volcan en feu ? La tradition, sauf quelques voix, est unanime : ses sandales de bronze (quel chic !) ont été *recrachées* par l'Etna (c'est-à-dire par Typhon), et on les a retrouvées près du cratère. En tant qu'homme, il appartenait à une famille illustre, et son grand-père avait une écurie de chevaux de course. Opinions politiques ? Démocratiques. Poétiques ? Élitiste à mort.

Ce type m'enchante. Il s'entend écrire, se voit rêver, a longtemps habité sous de vastes portiques, a plus de souvenirs que s'il avait dix mille ans. Il vous dit, par exemple : « J'ai été autrefois jeune homme et jeune fille, arbre et oiseau, et poisson muet de la mer. » Il insiste :

« Je vous salue.
Me voici parmi vous comme un dieu immortel.
Je ne suis pas mortel, et tous vous me rendez
L'Honneur qui m'est dû. »

Il se pense en exil, poursuivi par la « Haine au furieux délire », tombé dans le « pays sans joie ». Il n'empêche que l'Amour, « égal à lui-même, partout, illimité », habitant l'harmonie secrète, est toujours là, « tout rond, joyeux, immobile ». La Colère et la Corruption l'attaquent, les Meurtres et les Ténèbres l'envahissent, mais la pensée, qui vient du sang baignant le cœur, reprend chaque fois ses droits de « certitude adorable » contre la « noire obscurité ». Il suffit de bien discerner les quatre éléments fondamentaux, le feu, l'air, l'eau, la terre, ou, si vous préférez, le Ciel, la Terre, les Dieux, les Mortels.

Hölderlin, dans *La Mort d'Empédocle*, drame inachevé (trois versions), s'identifie passionnément au héros, en fait une sorte de Christ qui doit mourir puisqu'il a prétendu être dieu, et se sacrifier ainsi pour son peuple. C'est long, et ça tourne en rond. Bordeaux l'attend pour plus de splendeur intime. Je lis Empédocle au café, le bruit des conversations me convient, l'horrible musique pop de fond ajoute à ma joie, difficile de trouver meilleure cachette.

L'étonnant Jésus-Christ a-t-il trahi l'esprit du judaïsme ? Je le crains, et la question se pose toujours. Les « présocratiques » (comme on dit de façon marrante), une fois manipulés par Heidegger, apparaissent-ils comme prénazis ? J'en ai peur. De toute évidence, ces gens sont des fous immoraux, d'une arrogance insupportable. L'un d'eux vous prévient que « les opinions des mortels n'ont rien de vrai et ne sont dignes d'aucun crédit ». Un autre, à qui on demande pourquoi il ne fait pas d'enfants, répond cette énormité : « Justement, par amour des enfants. » Ces faux visionnaires vous feraient croire que la géométrie a été inventée en Égypte, et que l'Illimité est éternel et ne vieillit pas. Ils délirent sur l'origine du monde, et, faute impardonnable, n'ont pas l'air de se soucier du malheur humain.

Mieux que dans des tonnes de romans réalistes, le malheur humain peut être froidement observé par les statistiques. La preuve :

Chaque seconde, près de 43 000 vidéos sont visionnées sur le site Youtube, soit 1 460 milliards de vidéos par an.

Chaque seconde, près de 39 000 recherches sont faites sur le moteur de recherche Google par les internautes, soit 1 204 milliards par an.

Il se boit plus de 4 000 litres de Coca-Cola

dans le monde chaque seconde, soit 350 millions de litres par jour.

Ce n'est pas tout :

Chaque seconde, 3 millions d'e-mails sont envoyés dans le monde, soit 190 milliards par an. La prévision est de 200 milliards pour 2017.

Produit phare du marché de la cosmétique, il se vend chaque année dans le monde environ 900 millions de rouges à lèvres, soit près de 27 tubes de rouge à lèvres par seconde.

En France, à raison de 8,7 rapports sexuels en moyenne par mois par Français, il se déroule 215 rapports sexuels chaque seconde, soit 6,9 milliards d'actes sexuels annuels chaque année.

Voilà une parfaite démonstration que, désormais, *monde* rime avec *seconde*.

# FÊTE

Un de mes amis de Bordeaux a ouvert récemment un petit restaurant tranquille à deux pas du Jardin public. Il l'a appelé *Souvenir*, en hommage à Hölderlin. Ce soir, il l'a réservé pour Lisa et moi. C'est la fête.

Le matin et l'après-midi des jours précédant son concert, Lisa, pendant quatre heures, est à son piano dans une grande chambre sous les toits de l'hôtel. De là, elle peut voir, au loin, la Garonne. Déjeuner léger, sieste, amour, et on se retrouve, en fin d'après-midi, pour un verre. Au *Souvenir*, dans ce soir d'automne, on boit au « dieu silencieux du temps ». J'embrasse les mains de Lisa. Elle rit. Tout à coup, on est de nouveau ensemble, sous la foudre, à Égine.

On appelle « Effet papillon » un phénomène physique lié au chaos : une petite perturbation, dans un système, peut avoir des conséquences considérables et imprévisibles. Exemple : dans l'atmosphère, le souffle dû au battement d'une aile de papillon peut déclencher une tempête à des milliers de kilomètres de là. Mes papillons préférés sont le Sphinx du laurier-rose, le Grand Mars changeant, le Citron de Provence, le Lolita, le Paon du jour, l'Apollon, et le Sphinx tête de mort d'Eurasie, d'Indonésie et d'Afrique.

J'ai toujours chez moi deux grandes cartes : une des oiseaux, et une autre des papillons. Maintenant, supposons un « Effet papillon », non plus dans l'espace, mais dans le temps. Ce verre de Margaux, sombre lumière dans le cristal, atteint Hölderlin il y a 214 ans. Une fois de plus, il se dit à lui-même : « Tout est intime. » Ou encore : « Un désir s'élance sans cesse vers ce qui n'est pas lié. » Ou tout simplement : « Le plus proche, meilleur. »

Une bénédiction flotte dans l'air :
« Il se repose alors, le cœur comblé,
Car tout ce divin qu'il a autrefois désiré conquérir,
De soi-même, indompté, l'étreint,
Et sourit
À cet audacieux qui a trouvé son repos. »
Et le lendemain matin :

« Délice alors de se réveiller comme on ressuscite. »

Le concert de Lisa, au Grand Théâtre, a été un triomphe. Le matin, elle avait reçu des messages très angoissés sur la situation de la Grèce dans le déferlement des migrants. À la fin de son interprétation éblouissante des sonates de Haydn, elle a demandé au public une minute de silence sur la catastrophe humanitaire frappant son pays. Puis elle a prié de ne pas applaudir à la fin de son interprétation des *Variations* de Webern, qui, a-t-elle dit, aimait citer une formule d'un poète allemand, très inspiré par la Grèce antique, et qui est venu ici, tout près, en 1802 : « Vivre, c'est défendre une forme. » J'ai vu qu'elle jouait avec tout le feu de son enfance. Moment bref et sublime, accueilli par un silence de mort. Et puis les acclamations, les fleurs, la routine.

Les Sirènes d'autrefois attiraient, sur la côte, les marins grecs de passage, avec leurs chants mélodieux. Ils y allaient, les cons, et leurs ossements s'empilaient sur le sable. Ulysse, attaché à son mât, les a écoutées, après avoir pris la précaution de boucher les oreilles de son équipage avec de la cire. Qu'a-t-il entendu ? On ne sait pas. Un silence assourdissant d'aimant, dit Kafka. L'interprétation idiote traditionnelle veut qu'il s'agisse d'un irrésistible appel sensuel. Mais non, pas du tout, et Webern, attaché au mât de sa musique verticale, vous prévient.

Voici ce qu'elles chantent, les Sirènes de mort : « Pauvres navigateurs, vous n'arriverez jamais à bon port. Tout n'est plus pour vous que bruit, fureur, chaos, folie, détraquage. Votre vie n'a plus aucun sens. Venez, vous serez consolés, bercés, reposés. Abandonnez ce monde insensé, et jetez-vous dans nos bras de neige. »

Je raconte ça à Lisa, au *Souvenir*, le soir même. Elle me jette un drôle de regard. Des foules sont en train de s'entasser dans la misère, hommes, femmes, enfants, sur l'île de Lesbos. Lesbos ! « Mère des jeux latins et des voluptés grecques ! » Ce vers de Baudelaire a été condamné, parmi d'autres, à Paris, en 1857. Comme on voit, nous n'en sommes plus là, et le temps s'accélère *à l'envers*, ce qui donne au passé une nouveauté stupéfiante. Tout va vite, mais rien n'avance. Ce mouvement ultra-rapide est ressenti comme un tassement sur place, mais pas pour vous, puisque vous êtes à Bordeaux, et que Lisa, comme l'océan, vous aime.

# ZEN

En principe, la pratique bouddhiste du *zen* est très simple. Vous vous asseyez de façon droite, vous respirez, vous vous concentrez de plus en plus sur votre respiration, vos désirs et vos pensées inutiles disparaissent, vous progressez chaque jour en méditation, vous n'avez de comptes à rendre à personne. N'allez pas vous fourrer dans une pratique collective, genre monastère, avec un surveillant qui vous tape dessus si votre posture se relâche. Le rituel assommant est fixé à la seconde près, vous devez être végétarien, nettoyer sans arrêt le temple, tendre vers une momification surplombante, pour laquelle *tout devient zen*.

Marcher est zen, ranger ses chaussons est zen, manger est zen, se laver les dents est zen, déféquer est zen, chaque geste est zen. Au fond, c'est une prière continue, et, pour cela, nul besoin d'être ensemble. Si je suis musicien, comme

Lisa, dormir est musical, faire l'amour est musical, capter la moindre couleur ou le plus furtif rayon lumineux est musical, le silence est, plus que tout, musical.

Ces pauvres bouddhistes japonais ou tibétains, avec leurs grands airs d'humilité souriante, sont des abrutis barbares. Le moindre mathématicien leur est supérieur. Les mystiques, avec leurs effusions, leurs lévitations, leurs transverbérations, leurs visions, me font rire. Je reste avec le Chinois Kang Sang tseu, qui parle ainsi dans *Le Vrai Classique du Vide Parfait*, de Lie-tseu :

« Mon corps est uni à mon centre, le centre est uni à l'énergie, l'énergie est unie à l'esprit, et l'esprit est uni au non-être. Une chose, si petite soit-elle, un ton à peine perceptible, qu'ils soient éloignés par-delà huit déserts ou qu'ils soient contre mes yeux, s'ils me concernent, me sont infailliblement connus. Mais j'ignore si c'est une perception des sens ou une connaissance instinctive. Tout ce que je sais, c'est que cette connaissance me vient spontanément. »

Ou, pour le dire avec l'admirable Antonin Artaud, qu'on essaie désormais, en pure perte, de recouvrir avec d'interminables tartines philosophiques universitaires :

« Une grande ferveur pensante et surpeuplée portait mon moi comme un abîme plein. »

Ce genre de choses.

Explosion de l'Histoire, explosion de l'espace, explosion du temps : du calme.

# ÉCHECS

J'aime jouer aux échecs avec Lisa. Elle prend toujours les noirs, moi les blancs, on se tait à fond comme s'il s'agissait de musique, et j'imagine que les cinq figures principales, le Roi, la Reine, le Fou, le Cavalier et la Tour, correspondent non seulement aux doigts de la main, mais aussi aux cinq sens, vue, ouïe, toucher, odorat, goût. Il s'en passe de belles entre la Reine et le Fou. Naturellement, Lisa me bat assez vite. En à peine une heure, je suis mort.

Dans une photo assez laide, on peut voir Marcel Duchamp attablé devant un échiquier avec une femme nue à l'air empoté. C'est aussi bête que l'inscription LHOOQ au bas d'une reproduction de la *Joconde*, le *Nu descendant un escalier*, la poupée du musée de Philadelphie, la *Mariée mise à nu par ses célibataires, même*, et autres inventions légendaires de l'art dit « moderne » ayant fasciné les Américains. Même prétention

idiote dans la déclaration de sa pierre tombale :
« La mort est quelque chose qui n'arrive qu'aux
autres. » Duchamp méprisait les femmes, c'est
un sentimental frigide et déçu, d'où son succès
chez tous les provinciaux physiologiques. Autant
en emporte le vent renversant tous les urinoirs
du monde. Bluff énorme, raideur, laideur.

La vérité est que Duchamp jouait plutôt
mal aux échecs, ce que révèle sa lourde mise
en scène avec une pauvre fille pétrifiée. C'est
bon pour des coincés yankees et leurs colonisés
« d'avant-garde ». Fini, ce bazar. Il y a la Beauté,
mais il y a aussi la Contre-Beauté, passion triste
et rageuse, visant à faire table rase de tout ce qui
est beau. Ça crève les yeux, et c'est démontrable.

Il suffit de voir les pantins islamistes s'achar-
nant sur des statues antiques. Voilà des formes
qui contiennent un soleil divin insupportable,
il faut donc les réduire en poussière comme si
elles n'avaient jamais existé. La Contre-Beauté
*sent* la Beauté, ça la brûle. La Beauté est insolente, elle ne croit qu'à elle-même, elle insulte
la loi et la foi. La Beauté est vraie, la Contre-
Beauté est fausse. Expérience : on vous présente
une fausse Beauté d'apparence : si elle parle,
elle est démasquée. Écoutez.

Dans *Le Vrai Classique du Vide Parfait*, on trouve l'anecdote suivante : Un aubergiste a deux servantes, l'une très belle, l'autre laide. Il est plus aimable avec la laide qu'avec la belle, on lui demande pourquoi, et il répond :

« La belle sait qu'elle est belle, donc j'ignore sa beauté. La laide sait qu'elle est laide, donc j'ignore sa laideur. »

Voilà un commerçant avisé.

Je tombe, dans un magazine branché, sur un gros titre en couleurs : « Phallo, le peuple aura ta peau ». Il s'agit d'une exposition actuelle, à Bordeaux, d'une artiste féministe américaine, Judy Chicago. Judy, née en 1939, s'appelle en réalité Judy Cohen, et a été élevée, nous dit-on, par un « père juif progressiste ». Son œuvre phare est *The Dinner Party*, une version domestique de la Cène, avec 39 assiettes décorées de corolles vaginales. Pourquoi 39 ? Sa date de naissance ? Une photo la représente, en 1974, dans son atelier-cuisine. Elle est épatante de laideur. Hommage à Bordeaux qui a enfin découvert cette vieille artiste.

Une autre œuvre de Judy s'appelle *Woman-house*. L'invitation a été envoyée sur un napperon en dentelle. L'espace compte un mannequin nu figé dans une baignoire, un autre découpé dans un placard, ou encore des paires de seins collés dans la cuisine, du sol au plafond. L'accueillante *Menstruation Bathroom* est remplie de tampons sanglants. Voilà une maison révolutionnaire pour les femmes progressistes qui ont horreur de Warhol. Le phallo-dinosaure, lui, a disparu dans la nature.

Judy Chicago, voilà un nom d'artiste bien trouvé. On peut en inventer d'autres : Rosa Vancouver, Hillary Dallas, Marin Miami, Natacha Petersbourg, Yoko Hiroshima, Rachel Treblinka, Mélani Hutu, Fatima Bagdad, Sarah Tel-Aviv, et ainsi de suite. Elles veulent toutes montrer leurs installations à Bordeaux. L'entrée des expos sera interdite aux adolescents : ils sont fragiles, ils risqueraient de se convertir à l'islam. Les filles, en revanche, y apprendront la révolte contre un art exclusivement masculin. Les vocations précoces, encadrées par le ministère de l'Éducation nationale, seront étonnantes.

Regardez-les en conversation : chacune n'écoute qu'elle-même, en accompagnant sa voix de gestes continus des mains. De loin, on dirait un concert de sourdes-muettes, avec la ponctuation habituelle de « En fait » et « Tu vois ». Maintenant, elles sortent de nouveau leurs iPhone, lisent ou envoient des messages, commencent des séries interminables de *selfies* qu'elles se montrent les unes aux autres.

Celle-là n'en finit pas de contempler sa photo, face, profil, cheveux ramenés en arrière, sourires entendus adressés à soi, validation par sa copine assise en face d'elle, qui, elle-même, fait la même chose en même temps. Elles sont dans leur bulle narcissique, les arbres n'ont jamais existé. On va envoyer ces radieuses images aux adorateurs potentiels. Si ce n'est pas celui-là, il y en aura un autre.

Elles jacassent de plus en plus fort, elles rient aux éclats. Si vous êtes là, au café, en train de lire un livre au lieu d'être penché sur un ordinateur, vous aurez vite l'air d'être un ennemi suspect du vacarme et des explosions de gaieté. Vous êtes sûrement un grand mélancolique, et, comme chacun sait, les mélancoliques, femmes comprises, finissent alcooliques. La preuve, c'est que vous en êtes à votre troisième whisky.

Quelle joie de retrouver Lisa pour une partie d'échecs ! Elle est un peu fatiguée, aujourd'hui, plus lente. Je mesure mes coups, j'anticipe, je contrôle les diagonales, je sacrifie les pions qu'il faut, mon Cavalier est déchaîné, je vais gagner, je gagne. Lisa me sourit, renverse le jeu, se lève, et m'embrasse. Elle me battra la prochaine fois.

## STOCKS 1

Puisque nous sommes sur la planète Internet, prenons les mots qui commencent par *Inter*. C'est un enchantement immédiat. Voici des milliers d'intervalles remplis d'interstices. J'intercepte des intersignes, j'accumule les intersections, les interfaces, les interférences, les interactions. Je déchiffre les interversions, les interpolations, les interconnexions, les interruptions. Comme je suis un excellent internaute, il est hors de question que je sois internationalement interchangeable, d'autant plus que tout m'intéresse, que rien ne m'est interdit. Mes interventions sont remarquées, mes interrogations appréciées, mes interpellations redoutées, mes interprétations indéfiniment commentées. Mes interjections sont des ordres, les bavards sont interloqués. Je m'interpose souvent pour intercéder. Il m'arrive d'être intermittent, mais jamais rien d'interlope. J'interfère dans les interlignes et les interludes, au point que plusieurs critiques littéraires ou musicaux ont demandé que je sois interné. Bref, je suis l'intermédiaire idéal pour des stocks d'abîmes.

La société Technicolor a cent ans. Ses équipes ont réussi à stocker un million de copies d'un film muet de 1902, *Le Voyage dans la lune,* dans de l'ADN de synthèse, un seul grain invisible dans une petite éprouvette d'eau. La macromolécule d'ADN (90 000 molécules dans l'épaisseur d'un cheveu) est très avantageuse pour toutes les questions d'archivage. L'équipe de George Church, à Harvard (notez *Church*), a réussi, en 2012, à stocker un livre de 53 000 mots et 11 images dans un milliardième de gramme d'ADN. D'après Church, la totalité de l'info numérique produite en un an tiendrait dans quelques grammes d'ADN. Me voilà rassuré : rien ne se perd, tout se recrée.

En toile de fond, placez ici un des traités les plus profonds de l'Inde. *Le Plus Beau Fleuron de la Discrimination.* Voilà votre filtre. « Fleuron » (*mani*) veut dire plus exactement « Joyau ». Il s'agit de séparer, une fois pour toutes, le Spectateur du Spectacle, c'est-à-dire, en somme, d'échapper au stockage et à l'archivage de la transmigration. L'illusion règne et se superpose mentalement à tout. Je vois des molécules d'ADN fourmiller sous mes yeux, mais non, c'est un cheveu. J'ai peur d'un serpent au clair de lune, mais non, c'est une corde. L'homme illusionné, luttant pour traverser un fleuve en crue, croit embrasser un arbre alors que c'est un crocodile. À chaque instant, dans l'océan transmigrant, il risque de se noyer. Pourtant, il sait, en bon romancier, doué d'un ardent désir d'indépendance, qu'il est à la fois le sujet et l'objet de son expérience. Le texte vous prévient : « la négligence s'appelle la mort elle-même ».

Avouez-le : vous titubez à travers les naissances et les morts, foule innombrable. Votre identification avec Brahman, Existence absolue, Intelligence absolue, Félicité absolue, n'est pas encore atteinte. Comme l'a dit un humoriste moderne, « le monde mental ment monumentalement ». Concentrez-vous, poursuivez, dites-vous que vous n'êtes ni ceci ni cela, et encore moins ceci ou cela, sachez que le divin se manifeste, soit comme une marée montante, soit comme une pluie torrentielle. Vous tentez votre auto-exorcisme, grâce à la lumière qui brille dans le cœur. Fermez le poing, ouvrez la main : vous y êtes. La mort n'est rien d'autre. Vous pouvez ensuite imiter l'acteur, qui, à la fin du dernier acte, rejette le masque du personnage qu'il vient de représenter.

Après le *Samadhi*, vous pouvez vous considérer comme un « libéré-vivant ». Vous êtes un grêlon qui a fondu dans l'océan, vous avez rejoint « l'Un sans second ». Vous vous murmurez sans cesse en silence la syllabe sacrée *om*, et, dans la nuit profonde pour tous, vous restez éveillé. Au même titre que l'ombre qui l'accompagne, votre corps n'est plus qu'une simple apparence. Vous avez le droit de vous dire infini, puisque vous êtes en état de réalisation et d'illumination constantes. Autour de vous, tout est beauté, luxe, calme, volupté. Là où c'était vous êtes advenu. Vous voyez en vous et hors de vous, en tout lieu et à tout moment, se manifester spontanément votre propre et véritable nature.

Le mot *sanskrit* veut dire « parfait ». *Le Plus Beau Fleuron de la Discrimination*, immédiat et direct, est en effet un discours parfait. On peut le lire sans rien éprouver, mais qui a éprouvé personnellement sa vérité a encore du plaisir à le lire.

La moitié de l'humanité parle actuellement une langue indo-européenne. Il n'est pas inutile de les énumérer : le tokharien, l'indo-aryen, l'iranien, l'arménien, l'anatolien, le *grec*, l'albanais, l'italique (latin et langues romanes), le celtique, le germanique, le balte et le slave. Quel *stock* !
C'est moi qui viens de souligner le mot *grec*.

J'aime quand Lisa, très doucement, la nuit, me parle en grec. Je comprends sa voix et sa mélodie, mais rien de ce qu'elle me dit. Quand elle est au piano, en revanche, je deviens tout de suite son interlocuteur de vie.

## STOCKS 2

L'agent suisse de Lisa la déteste, et elle le lui rend bien. C'est un escroc gay d'une prétention insupportable, une sorte de gros hanneton bourdonnant, tel qu'on en rencontre de plus en plus dans les milieux artistiques ou littéraires. Il pérore, il coupe la parole à des stars, il grimace, il se croit irrésistible, il dit du mal de tout le monde, et, s'il le faut, nasille de plus en plus fort.

Pour amuser Lisa, je lui lis le portrait d'un étrange abbé gay, par le duc de Saint-Simon :

« Ses mœurs étaient publiquement connues pour être celles des Grecs, et son esprit pour ne leur ressembler en aucune sorte. La bêtise décelait sa mauvaise conduite, son ignorance parfaite, sa dissipation, son ambition, et ne présentait, pour la soutenir, qu'une vanité basse, puante, continuelle, qui lui attirait le mépris autant que ses mœurs, qui éloignait de lui tout le monde, et qui le jetait dans des panneaux et des ridicules continuels. »

Archivé.

Lisa me demande des exemples de français concentré. Donc, Rimbaud :

« une maison musicale pour notre claire sympathie »

« la mer étagée là-haut comme sur les gravures »

« la grande maison de vitres encore ruisselantes »

« l'éclatante giboulée »

« un piano dans les Alpes »

« le clair déluge qui sourd des prés »

« l'épaisseur du globe »

« la rumeur des écluses couvre mes pas »

« les yeux flambent, le sang chante, les os s'élargissent »

« nos os sont revêtus d'un nouveau corps amoureux »

« je me souviens des heures d'argent et de soleil vers les fleuves »

« la bruine des canaux par les champs »

« la rumeur du torrent sous la ruine des bois »

« le charme des lieux fuyants »

« les mille rapides ornières de la route humide »

« les grandes juments bleues et noires »

« les trouvailles et les termes non soupçonnés, possession immédiate »

« mesure parfaite et réinventée, raison merveilleuse et imprévue »

Et tout spécialement, en pensant à l'interprétation, par Lisa, des *Variations* de Webern :
« l'abolition de toutes souffrances sonores et mouvantes dans la musique plus intense »

Saint-Simon vous donne la clé de toutes les « subtilités empoisonnées » sociales. Rimbaud, lui, fait parler la Nature de tous les côtés à la fois. Cela, paraît-il, s'est passé en France.

# TRANS

L'État islamique invente une nouvelle scolarité, où l'histoire (à part la vie de Mahomet et les premiers jours de l'islam) a disparu des programmes. Restent un peu de géographie, des bribes de mathématiques et de physique, et, bien entendu, des cours d'anglais. En Occident (surtout aux États-Unis), si vous êtes LGBT (Lesbian, Gay, Bi, Trans), vous demanderez une modification des toilettes pour les Trans, ni hommes, ni femmes, mais angéliquement au-delà. Une femme voilée peut-elle avoir accès aux toilettes *trans*? Le Coran ne le dit pas, et c'est dommage. Comme je suis un mécréant décent, je m'interdis d'imaginer une jolie Irakienne en burqa dans des toilettes chrétiennes. Quant aux *trans*, je comprends leur souci. Il est nécessaire qu'ils fassent entendre une fervente revendication dans les élections américaines. Les Démocrates sauront y répondre, les Républicains ravaleront leur fureur. Mais une autre catégorie sexuelle vient de surgir : le

*Neutre.* Que de travaux futurs dans les hôtels et les bars !

Les enfants djihadistes illettrés, élevés dans la violence et le culte du martyre, seront des experts en communication et en explosifs. Ils auront pour tâche de soumettre les illettrés occidentaux. Ces Croisés décadents le méritent.

Il est scandaleux de trouver encore dans les vieux dictionnaires rationalistes la définition du transsexualisme comme « conviction délirante d'appartenir à l'autre sexe, et désir de changer de sexe anatomiquement ». On rougit de citer de telles formules. Heureusement, le progrès est là, et cette discrimination d'un autre âge n'a plus lieu d'être. Même observation pour le transvestisme, et pour l'opprobre jeté sur les travestis. Un *trans* a parfaitement le droit d'être un transfuge, et de se transformer à son gré. Il se sait en transit humain, il est, par définition, transnational, et indéfiniment transversal. Peu importe qu'il ne soit pas transparent, plus personne ne l'est. Il transmet, il transpose, il transfuse, il transmute, il transgresse, il transvase. C'est un être de transfert, la psychanalyse glisse sur lui sans le pénétrer. Son énergie transperçante est continuellement renouvelable. La transition énergétique peut compter sur lui.

Vous allez me dire qu'il n'est pas transfini, ce qui revient à suggérer qu'il (ou elle) n'a pas d'âme. Mais qu'en savez-vous ? La Transcendance a des secrets qu'elle ne livre pas à tout le monde. Un *trans* peut très bien être un bon catholique, et croire à la Transfiguration sur le mont Thabor. Il n'a pas non plus d'objection à faire, et pour cause, à la Transsubstantiation, le pain devenant corps, et le vin sang, dans l'Eucharistie, dogme défini assez tardivement, en 1551, au concile de Trente. Cette intervention théologique a beaucoup fait hurler les hétérosexuels hypocrites, et le fait encore. Raphaël, protégé par les papes Jules II et Léon X, a mis tout le poids de son génie dans ce prodigieux tableau, le *Triomphe de l'Eucharistie,* qui se trouve au Vatican, pas loin de *L'École d'Athènes.* De la Grèce à Rome, il n'y avait qu'un pas, et il a été franchi. Hélas, aujourd'hui, l'être humain, dans le tourbillon mondial affolé, se sent de plus en plus déboussolé et *précaire.* La précarité est sa nouvelle identité. Il n'a plus que les grandes fêtes du foot pour se soulager.

Il y a un instant-trans, qui n'a rien à voir avec la sexualité. Une *Partita* de Bach, par exemple, sous les doigts de Lisa. Elle joue ça pour moi, ce soir, à la campagne. Toute la journée se recueille. C'est une méditation de vol, les mains de Lisa sont des ailes, la nuit est en train de monter. On est un peu ivres, c'est-à-dire très lucides. Lisa, maintenant, plane de façon rapide et étourdissante. Chaque note est lancée et retournée sur elle-même. C'est très beau, pur, vicieux, d'une intelligence inouïe.

Le piano est un avion à réaction, un Rafale. C'est aussi un cercueil enchanté, un sous-marin nucléaire, un satellite en orbite, une fusée. Lisa, sans aucun effort, domine, avec Bach, les mathématiques, la mécanique quantique, la relativité généralisée.

L'immortelle beauté la protège. Regardez danser cette bacchante sombre, sur ce vase grec d'avant notre ère. Elle vient de là, Perséphone, du monde souterrain qui n'en finit pas d'exister.

# LANGUES

Lisa parle grec, allemand, italien, anglais et français. Elle trouve le français exceptionnel de subtilité, mais impossible à chanter. Le mot « amour » résonne dans les voix françaises avec une préciosité et une mièvrerie consternantes (au contraire de *liebe, love, amore*). Debussy est merveilleux dans les paysages, mais vous n'avez aucune envie de vous appeler Pelléas à la poursuite de Mélisande. Vous chantez *La Marseillaise,* avec une petite gêne sur ce sang impur qui va abreuver vos sillons, même si des féroces soldats de Dieu viennent, jusque dans vos bras, égorger vos fils et vos compagnes.

Les chanteurs et les chanteuses populaires se débrouillent, mais les classiques, en français, sont obligés de délayer du sirop. Aucun air d'opéra français ne vaut ce chef-d'œuvre qu'est *Le temps des cerises.* Sinon, vous avez des villages, des clochers, des blés d'or, un tableau de Millet, le calendrier d'autrefois des Postes, la Belle Époque et les Années folles, les boulevards de Paris, Pigalle, les cafés-concerts. Même les goualantes sont émouvantes et sentimentales, tandis que le chant classique reste maniéré et poudré.

L'Église a eu son latin, Wagner n'a pas réussi à submerger Bach, l'anglais a été sauvé par Haendel, l'italien chante par lui-même. Pauvres Français exilés de Dieu et du drame ! Dieu parle allemand, c'est clair, et, pour l'opéra, Mozart a raflé la mise. Pour le théâtre, Shakespeare est indépassable, et vous feriez mieux de le lire, plutôt que d'assister à une mise en scène contemporaine foireuse de *Hamlet*.

Le 15 mars 1871, Rimbaud (17 ans), après avoir déclaré que « toute poésie antique aboutit à la poésie grecque, vie harmonieuse », annonce que l'être humain n'est pas encore entré dans « la plénitude du grand songe ». Il décrit ainsi la vraie langue du futur :

« Cette langue sera de l'âme pour l'âme, résumant tout, parfums, sons, couleurs, de la pensée accrochant la pensée et tirant. »

Il oublie la saveur, le toucher, les gestes, mais la pensée *accrochant* la pensée est une idée de génie, celle de *résumé* aussi.

Quelques esprits dérangés ont voulu, par la suite, inventer une langue « transmentale » et même un dégueulis de glossolalies. Ça ne marche pas, et on est étonné que certains aient été adorés comme des vaches sacrées du mystère. Le français est destiné à une clarté souveraine, inutile de le torturer pour cacher ses propriétés. Sans quitter le grec comme but, le français peut désormais absorber l'hébreu, l'arabe, le sanskrit, le chinois, avec une souplesse incomparable. Une nouvelle raison le guide, à travers mille difficultés. Si je m'occupe d'alchimie du verbe, j'ai affaire, avec « alchimie », à un mot arabe, impliquant que cette civilisation a été capable, en son temps, d'inventer un remède universel et de maîtriser la transmutation des métaux, peut-être grâce à l'algèbre (*al-djabr*). Je n'oublie pas non plus, à la lumière de la lampe d'Aladin, de boire mon meilleur *élixir* dans mon studio devenu harem.

La syllabe sacrée *om*, en passant du bas de mon corps, et, entre mes sourcils, jusqu'au sommet de mon crâne, m'assure de mon don des langues et de ma virtuosité dans la langue des oiseaux. Je garde pour moi le vrai nom de Dieu et son tétragramme, je prends, pour régénérer ma quintessence, une pincée de ma poudre philosophale, en buvant une gorgée de soma, ou plutôt d'ambroisie, ou plutôt de nectar. Me voilà, avec Lisa et son piano, dans l'Olympe, pendant que se déroule, plus que jamais, en bas, l'interminable guerre de Troie. Les phénomènes passent, je cherche les lois.

## SPECTACLE

La *flamme* des jeux Olympiques doit être transportée rituellement sur le lieu des compétitions. Elle brûle à Athènes, elle part pour tel ou tel pays organisateur, dépenses faramineuses, corruption à tous les étages. N'importe, le feu purifie tout, et la blancheur des sportifs est irréfutable (sauf dopage dans l'ombre). Voyez ces politiciens posant pour les photos et les caméras, la flamme olympique à la main. Les flashes les mitraillent, ils sont épanouis, ravis, bien nourris. On ne leur demande pas de parler mais d'exhiber l'énorme marchandise des corps.

Les nations défilent, drapeaux en tête. Les journalistes sont là en masse, ils ont leur « village », et ce sont, sans arrêt, des commentaires, des pronostics, des ragots, des rumeurs. Qui, cette fois, ramènera le plus grand nombre de médailles ? L'or, l'argent, le bronze, les podiums, les hymnes, l'émotion font vite oublier les épreuves elles-mêmes. Elles sont pourtant retransmises, en direct ou en différé, sur toute la planète. L'épreuve reine est évidemment le 100 mètres, au quart de seconde près. C'est parti, c'est fini. Merveille des records ! Le surnaturel est là, sur la piste comme dans les piscines.

Lisa ne regarde pas les compétitions : elle a tort. Il y a autant de beauté dans le dernier sprint vers la ligne d'arrivée que dans un concerto de Mozart. Ce perchiste a du génie, cette gymnaste et cette escrimeuse aussi. Leur vie, on le sent, est radicalement musicale. Contrôle du souffle, concentration cellulaire, précision de chaque geste, conscience intime du temps. Les athlètes sont des dieux passagers. Pindare, s'il était là, saurait les célébrer comme ils le méritent.

Des millions de vampires se nourrissent des performances sportives. Ils s'entassent dans les stades ou devant des télévisions, ils crient, ils bouffent, ils boivent, ils gagnent *par procuration*. Le moindre petit-bourgeois, la plus tarte des petites-bourgeoises se sentent décorés en or. Des centaines de réfugiés se noient ici et là, tant pis, ils auraient dû s'entraîner à nager. Les Jeux de Lesbos ne sont pas destinés à la représentation démocratique sportive.

Je regarde surtout, vous vous en doutez, les Chinoises et les Africaines. J'ai un faible pour les Jamaïquaines dont on ne parle pas assez. Il y a aussi de grandes beautés philippines, russes, australiennes. Les Américaines sont toujours là, mais il n'y a que les Françaises qui traînent, je n'ai pas besoin de me demander pourquoi.

La réponse me vient vite du côté « culturel ». Mon journal branché, *Vibration*, m'apprend qu'au festival d'Avignon se joue une « Symphonie chamanique ». Le spectacle s'appelle *La Rive dans le Noir*, titre bien trouvé puisque la scène reste constamment dans l'obscurité. Annonce de la journaliste : « Une comédienne et un écrivain envoûtent leur public, entraîné dans une grotte bruissante de voix animales et défuntes. » La comédienne incarne des animaux, l'écrivain lit ses textes, et, de temps en temps, joue un peu de piano. C'est une grande soirée primitive.

L'écrivain n'est pas n'importe qui, si on se souvient de certains de ses titres, tous plus déprimés les uns que les autres : *Le Sexe et l'effroi, La Nuit sexuelle, Ombres errantes*. Il a eu le prix Goncourt, c'est une sorte de Houellebecq en beaucoup plus chic. Il s'exprime ainsi, d'une voix tremblante : « Il est des choses qui blessent l'âme quand la mémoire les fait resurgir. » Ou bien : « Un jour on retombe dans son symptôme. » Le public, fasciné, aime bien ces voix d'outre-tombe, d'autant plus qu'il s'agit d'une histoire confuse où une mère, jadis, a essayé d'empoisonner son enfant. Elle vient de mourir, et son fils la supplie de prononcer son prénom depuis l'au-delà. Toutes les mères, réelles ou virtuelles, frissonnent.

Pendant ce temps, la comédienne se surpasse. Elle entre dans une série de métamorphoses, elle hulule comme une chouette, peut devenir grenouille, loup, corneille. Elle passe par des tas de modulations de glotte, puis, tout à coup, elle sanglote. La chouette, vous l'avez reconnue, c'est la fameuse Minerve, nom latin de la déesse grecque Athéna, laquelle, dans sa passion de clarté, déteste être appelée comme ça. Cela dit, le chamanisme a ses lois, et qu'une Française puisse y atteindre force le respect du plus incrédule. C'est beaucoup plus fort que les vieilles séances de Charcot et de ses formidables hystériques, qui étonnaient le débutant Freud, à Paris. Là, dans la salle noire, en pleine marée d'occultisme new-look, les types, déjà écrasés par la célébrité de l'écrivain souffrant, sont pétrifiés sur place. Toutes les femmes, jeunes ou moins jeunes, rêvent d'être mieux possédées. Festival !

On étonnerait beaucoup tous ces braves gens en leur disant que leur spectacle est finalement très *réactionnaire*. Comment, vous n'avez pas entendu ma plainte, mon désespoir, mon cri ? Ma demande de soin, de consolation, ma détresse ? Vous n'avez pas honte de traiter le malheur de « réactionnaire » ? Vous n'avez donc pas d'âme ? C'est possible, et en tout cas, pas celle-là.

Et maintenant, un fortifiant contre le Spectacle.

Joyce, qui manipule toutes les langues pour en extraire la lumière, invente quelque part le mot « salvocean ». L'océan est le salut, la voix salée de la terre, la sortie heureuse de la forêt obscure, la salve finale du grand concert. Vous entendez « salé », « laver », « lotion », « salvation ». Tous les fleuves roulent vers l'océan avec plus ou moins de détours, et ainsi font les mots, les syllabes, les voyelles, les consonnes, les lettres, les notes. L'océan n'est pas sourd, l'érudition trompe. On se sauve en l'écoutant de très près, selon les marées.

J'arrive dans mon île de l'océan avec Lisa. Soudain, tout est pacifié, jaune, vert, bleu, *aimable*. J'ai fait livrer un piano pour les doigts de Lisa, elle pourra s'entraîner trois ou quatre heures par jour. De là où je suis, je l'entends à peine, mais je sens qu'elle fait vivre l'herbe, les arbres, les étoiles invisibles, le sel, le gravier, les fleurs.

# FILMS

Hitler, désintégré par lui-même en 1945, aurait aujourd'hui 127 ans. Staline, mort en 1953, momifié puis démomifié, aurait, lui, 137 ans. Mao, momifié en 1976, serait encore en pleine forme, à 123 ans. Ces noms pèsent des kilotonnes dans l'Histoire. On ne les approche qu'avec effarement et effroi.

Celui qui a le mieux compris le devenir-cinéma universel est Hitler. Il suffit d'ouvrir une télévision, et de glisser d'une chaîne à l'autre, pour constater qu'il est là, sans arrêt, avec émergence d'archives inédites longtemps interdites, que vous contemplez désormais *colorisées*. Vous avez tellement l'habitude de voir les mêmes images des camps d'extermination, en noir et blanc, avec leurs amoncellements de cadavres squelettiques et de déportés hagards, que ce brusque passage dans la couleur vous épate. C'est bien le même abruti qui vocifère, le bras tendu, devant des masses extatiques (plein de femmes en transe), mais, au lieu d'apparaître en ange des ténèbres avec son brassard à croix gammée, le voici pimpant, détendu, presque primesautier, et sa fidèle compagne, Eva Braun, blonde et ronde, sportive, mignonne, aime son monstre raide comme s'il était sa poupée.

Cinéma, cinéma, cinéma. Surgit un génie de la manipulation grandiose : Helene Riefenstahl, dite *Leni*, morte tranquillement en Bavière à 101 ans. Hitler lui a donné des moyens techniques gigantesques, des grues pour filmer de tous les côtés à la fois, et, surtout, la permission d'être dans sa voiture pour populariser sa figure en tous sens. Devenu le personnage principal du grand film mondial, Hitler se dépasse en 1935, à Nuremberg, dans *Le Triomphe de la volonté*. Leni ira encore plus loin, l'année suivante, pour les jeux Olympiques de Berlin. *Olympia*, c'est elle, et son chef-d'œuvre s'appelle *Les Dieux du stade*. Pauvre Pindare sans caméra ! Sa poésie sublime est noyée par cette femme émancipée, amoureuse de centaines de corps athlétiques saisis dans leurs héroïques efforts. La délégation française défile en faisant le salut nazi. On interviewe Leni : son visage d'oiseau de proie minaude quand on lui demande si elle a eu une histoire d'amour avec Hitler : « Je l'ai connu en 1932, avant son arrivée au pouvoir. » Comme c'est bien dit !

Les films de Leni Riefenstahl sont-ils *beaux*? En un sens, oui, puisqu'ils atteignent une sorte de perfection dans la laideur. Le numéro de marionnette de Hitler, en surplomb de millions d'envoûtés, parvient à des sommets de contre-beauté. Les jeux Olympiques de Berlin contre *Olympia* de Manet : il n'en faut pas moins pour démontrer la supériorité de Manet.

Leni avait une dévotion magique pour le corps masculin. Elle filme un de ses amants allemands, qui, hélas, ne court pas assez vite. Exclu. Plus tard, elle se lance à la poursuite photographique de Noirs africains admirablement effilés, les *Noubas*. Increvable, elle enchaîne sur la plongée sous-marine. Elle échappe à tous les jugements, gagne des tas de procès en diffamation, et finit, via un cancer, par mourir dans son sommeil en 2003, à l'âge de 101 ans. Médaille d'or, en forme de croix gammée. 1902-2003 : tout le 20e siècle.

Le Rwanda a stupéfié le monde entier avec ses massacres de Tutsis par les Hutus, à la machette (800 000 morts). L'Afrique fantôme est là, dans les bois pleins de cadavres jusque dans les églises, et les femmes tutsis qui ont survécu rallument la vie pour leurs enfants, et s'occupent de tout. Elles sont grandes, très belles, avec des boubous de toutes les couleurs. Elles ont vu tuer leurs maris, leurs pères, leurs mères, ainsi que les bébés dont les crânes ont été fracassés contre les murs. Leur regard vient de plus loin que la nuit. Elles n'ont jamais entendu parler de Leni.

La vieille Leni Riefenstahl, avec toujours, sur les lèvres, le même sourire indéchiffrable, aura donc vu, de son vivant, la divinisation de Hitler et celle de Staline, les ruines de Berlin et la découverte des atrocités nazies, la bombe d'Hiroshima et la naissance de l'État d'Israël, l'arrivée au pouvoir de Mao à Pékin, le premier pas sur la lune et la chute du mur de Berlin, la dislocation de l'empire soviétique et la réunification de l'Allemagne, l'attentat contre le World Trade Center et le surgissement de l'islamisme radical, le passage à l'euro et l'incroyable prospérité allemande. Pour elle, au fond, tout ça n'aura été que du grand cinéma. Dans son petit coin de Bavière, elle décline doucement, elle s'enfonce, elle plonge. Essayez donc de la retrouver à vingt mille lieues sous les mers.

# PARTITIONS

Je regarde, avec Lisa, des partitions autographes de Bach, Haydn, Mozart et Webern. Pour elle, ce sont des textes sacrés, elle les *entend*, elle est très émue de voir la *main* de Bach, celle de Haydn, celle de Mozart, celle, quasi mathématique, de Webern, dans ses *Variations* de 1936. Pas seulement leurs mains, mais leurs corps, leurs cœurs, le temps qu'il faisait ce jour-là, la foule des circonstances. Voilà : la plume, l'encre, l'oreille, les doigts.

Bach a une écriture puissante, serrée, passionnée (ne pas oublier qu'il jouait de l'orgue). Haydn est un vol d'oiseau, il pointe, pique, s'interrompt, s'envole. C'est lui le plus détaché, le plus libre, le plus élégant. Mozart est immédiat, rapide, pas de temps à perdre, il faut livrer vite, c'est parfait, dégagé, bouclé. Avec Webern, sans oublier Bach, on est dans la relativité générale, la musique ne croit plus qu'à elle-même, une équation nette nous transporte dans un monde sauvé du chaos, c'est la joie courageuse d'être le premier d'une immense aventure. Voyez les partitions : *ils sont là.*


Bach pense à Dieu, Haydn à la Nature, Mozart à toutes les chanteuses du futur, Webern à l'aurore qui pourrait succéder à la catastrophe de l'Europe. Ils ont une foi indestructible dans la clé du clavier. La vie devient une partition continue. Partitas, sonates, airs, symphonies, messes, opéras, oratorios, passions, préludes, impromptus, variations, duos, trios, quatuors, quintettes. Une matinée en *sol* mineur n'est pas la même en *la* majeur, et une soirée en *si* mineur n'a rien à voir avec une perspective de nuit en *si* bémol majeur.


Vous vous déployez en *ré*, vous vous retirez en *mi*, vous recommencez en *ut*, vous vous reposez en *fa*. Vous attaquez en *sol*, vous vous consolidez en *si*, vous faites semblant de dormir en *la*. Chaque bavardage a sa note fondamentale, la moindre interlocution laisse échapper une modulation imprévisible, un bruit réclame son orchestration, et ce mensonge évident un lourd silence. Vous n'arrêtez pas de composer en pleine décomposition. Plus la société va mal, mieux vous allez. La bêtise et la vulgarité augmentent de façon consternante ? Votre emploi du temps est radieux. Vous appelez « roman » votre partition, et vous vous moquez franchement de ceux qui vous disent qu'il ne s'agit pas de roman.

*Bach, manuscrit autographe*

*Mozart, Sonate en* la *mineur, K310*

*Webern, Anton, variations pour piano, op. 27,*
*manuscrit autographe, 1936*

# Variations, Op. 27

## 1

A. Webern

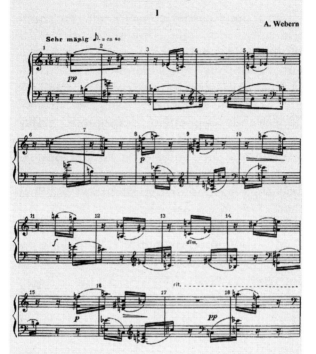

Lisa n'aime pas les concerts, elle en annule beaucoup, mais elle connaît les différentes sensibilités des publics. Selon elle, pas de meilleure écoute que l'autrichienne ou l'allemande. La française est souvent excellente, meilleure que l'italienne (relâchée), l'anglaise (froide), l'américaine (appliquée), l'espagnole (molle). La hollandaise est superbe, la japonaise trop automatique, la chinoise est en net progrès, l'africaine est enthousiasmante (surtout pour Webern, qui a aussi un très grand succès à Shanghai). L'écoute russe est professionnelle, l'israélienne impeccable (plutôt Mozart), l'arabe à venir, l'argentine chaleureuse, l'indienne profonde (Bach explose à Bombay). Ses meilleurs souvenirs ? Zurich, Varsovie, Vienne, Prague, Berlin. Le moment le plus émouvant ? Bordeaux. Merci, c'est gentil.

# CIEL

Au moment où j'écris ces lignes, 21 h 30, à la campagne, jour de mai très sec et très bleu, Lisa est en train de jouer à Berlin. Elle m'appellera tout à l'heure. Le ciel est clair, chaque étoile est une note brillante, je constate, une fois de plus, l'étendue de mon ignorance des constellations. Comme je me trouve dans l'hémisphère Nord, je localise immédiatement la Grande Ourse, l'étoile Polaire et la Petite Ourse, je vais jusqu'à Cassiopée et Andromède, mais je suis vite perdu du côté de Persée, d'Orion, du Lézard et de la Girafe, sans parler du Dauphin, de la Flèche, du Cygne, du Dragon et du Lion.

Pauvre type, tassé sur sa petite Terre, incapable de situer Véga, Hercule, l'Hydre, Régulus, le Cancer, Castor, Pollux, et même pas, quelle honte, la Chevelure de Bérénice ! Changeons-le d'hémisphère, sera-t-il plus performant au sud ? Mais non, il titube déjà entre le Lièvre, la Colombe, la Grue, le Phénix, le Paon, le Toucan, le Capricorne. Croyez-vous qu'il va se ressaisir près de l'Oiseau de Paradis ? Pas du tout : il passe, sans les repérer, au large du Scorpion, du Loup, du Serpent, de la Dorade, du Peintre, de la Poupe, de la Boussole, du Caméléon, de la Mouche, de l'Autel, du Corbeau, du Centaure, des Voiles, et, c'est un comble, de l'Hydre femelle ! Il fait le malin deux minutes en se raccrochant à la Croix du Sud, misérable performance qui ne concerne qu'une poignée d'étoiles visibles, en évacuant les millions de milliards de notes qui prolifèrent au-dessus de lui.


Il admire l'extraordinaire invention verbale de ces cinglés d'astronomes. Quelle imagination, quel fantastique roman, quelle poésie grandiose ! Qui était là pour nommer La Chevelure de Bérénice ou l'Hydre femelle ? Tous ces noms sont vrais, leurs auteurs sont inconnus à jamais. Ce n'est pourtant pas un astronome, mais un jeune poète, Rimbaud, transformé en bateau ivre, qui s'est exclamé un jour : « Est-ce en ces nuits sans fonds que tu dors et t'exiles, millions d'oiseaux d'or, ô future Vigueur ! » Il aurait dû dire « milliards ». Et même milliards de milliards.

Le téléphone sonne, c'est Lisa. Les sonates de Haydn ont électrisé Berlin. Elle est fatiguée et heureuse. Je vais lui parler d'Andromède, fille de Céphée, et de Cassiopée, délivrée d'un monstre par Persée, et devenue sa femme. Persée ! Le fils de Zeus et de Danaé ! Le coupeur de tête de la Méduse au regard mortel ! Les Grecs en plein ciel ! Il faut savoir trancher, voilà tout.

Redescendons sur Terre, c'est-à-dire dans le cinéma humain des névroses. Oubliez le ciel et les sonates de Haydn, et prenez un film comme *La Pianiste* (2001), qui a obtenu trois prix au festival de Cannes. Vous allez tout comprendre en quelques lignes :

« Erika Kohut est une professeure de piano reconnue d'une quarantaine d'années. Prodiguant ses cours au Conservatoire de Vienne, elle traite ses élèves avec mépris et parfois avec cruauté, n'hésitant pas à les détruire moralement pour les dissuader de faire carrière dans la musique classique. Vieille fille, elle vit seule avec sa mère âgée, possessive et étouffante. »

Ce n'est qu'un début :
« Sa sexualité se résume à la fréquentation secrète de sex-shops ou de peep-shows, à du voyeurisme et aux mutilations qu'elle s'inflige. Lorsqu'un de ses élèves, Walter Krammer, se

met en tête de la séduire, elle résiste sèchement à ses avances avant de poser des conditions à une éventuelle relation. Le rapport tumultueux qui s'ensuit, fruit de ses propres névroses et de la présence de sa mère, qui s'immisce sans cesse dans sa vie privée, se termine lorsque Erika avoue explicitement à Walter son désir : celui d'une relation violente et sadomasochiste qui laisse peu de place aux sentiments. »

Ce scénario fabuleux est tiré du roman d'une écrivaine autrichienne, prix Nobel de littérature en 2004. Nous sommes à Vienne, *bien sûr*, et l'actrice française, étonnante de maîtrise, n'a aucun effort à faire pour incarner une frigidité radicale, verticale, impassible, somnambulique, et, par moments, saccadée. Méfiez-vous, elle peut vous jouer du Schubert, en pensant à tout autre chose. Les scènes hystériques avec sa mère sont d'une merveilleuse laideur. Sa façon de se taillader le sexe aux toilettes, avant de se laver les dents dans la foulée, est inoubliable. Cette pianiste ne semble éprouver son existence que dans la douleur. Elle a atteint une insensibilité fanatique. Elle crève l'écran en restant vierge. Encore la nuit sexuelle. Tout est noir, parce que tout est blanc.

Empédocle a raison : nous avons été précipités dans « le pays sans joie » où règne la Haine et son « furieux délire », en même temps que le meurtre, la colère, la sécheresse, la putréfaction, la corruption, et l'errance dans les ténèbres. En surface, tout a l'air lisse, mais, juste en dessous, la séparation fait rage. La souillure natale vous interdit toute remontée vers la source bienheureuse, et vous prive de tout plaisir. La fausse pianiste toquée est là pour détruire la musique, c'est-à-dire « la certitude adorable » de la « vivifiante Aphrodite ». Voilà pourquoi vous êtes « en exil parmi les mortels ».

« J'ai pleuré et gémi, dit Empédocle, à la vue du séjour qui m'était étranger. » Et pourtant, dans l'Amour, autre force aussi éternelle que la Haine, il sait que ses os ont été façonnés par l'Harmonie qu'il appelle « sérieuse ». C'est Aphrodite elle-même qui lui a donné des yeux « infatigables ». Ce qui demeure, seuls les poètes le fondent. Il est fait, lui, pour s'asseoir à la table des Immortels. Il vit dans les rapides pensées qui parcourent le cosmos. Il a vécu dix ou vingt vies en une seule. Il a beaucoup fréquenté les oiseaux, ces « voiliers du ciel ».

Il se souvient même de son séjour chez Sphairos, égal à lui-même, illimité, *tout rond*, joyeux, immobile, et c'est la raison pour laquelle ce qui est beau doit être sans cesse dit et redit. Ce que fait précisément Lisa, comme une véritable pianiste, en laissant loin, derrière elle, l'enfer des femmes, là-bas.

« L'enfer des femmes là-bas » est une des dernières formules de Rimbaud dans *Une saison en enfer.*

# MAQUILLAGE

Vous êtes dans la rue, à Paris, vous tombez, à un arrêt d'autobus, sur une affiche publicitaire pour une marque française de maquillage, tablette de 54 couleurs pour tous les visages. Une grande photo hyper kitsch de femme souriante occupe l'espace, mais c'est le slogan en anglais qui attire votre attention :

BORN TO BE
A BEAUTIFUL MAMAN

Voici donc une femme qui est née pour se maquiller d'urgence, et devenir ainsi, non pas une « mother », mais une jolie *maman*. C'est son destin, son désir. La phrase du bas de l'affiche, en plus petits caractères, n'est pas moins étonnante :

« La beauté qui *me* ressemble. »

Ce *me* souligné parle à toutes les futures jolies mamans.

Nous retrouvons maintenant l'actrice du film *La Pianiste* dans une salle de maquillage de théâtre. Des maquilleuses s'affairent autour d'elle, elle est en retard, elle doit entrer en scène dans un quart d'heure. D'une main, elle pianote sans arrêt sur son portable, de l'autre, tout en se regardant dans la glace, elle s'examine minutieusement dans un petit miroir. Elle chantonne, plus tard, en coulisse, elle esquisse des pas de danse avant d'affronter un public déjà hypnotisé par sa renommée.

Voici la scène, décrite par une journaliste :

« Elle prend le crayon à lèvres, et reprend le dessin du contour de la bouche. L'affirme. Le rouge a été posé tout à l'heure dans le premier fauteuil, un rouge vermillon sur lequel a été posé un rose indien. La matière est épaisse. Le mélange a un aspect à la fois éclatant et éteint. Le trait du crayon est invisible, mais le contour des lèvres est net, et donne à la bouche du relief. Elle pose le crayon. Elle le reprend. Sa main le fait tourner autour de ses lèvres. De l'autre main, elle reprend le miroir. »

Et ainsi de suite, dans la précipitation, tous les soirs. La pièce de théâtre n'a aucun intérêt, ce n'est pas d'elle qu'il s'agit, mais de la performance physique de l'actrice. Les hommes sont troublés, les femmes bouleversées. Phèdre et Madame Bovary s'étreignent sur scène. L'éclairage est fondamental. Est-ce une grande malade, ou une chrysalide humaine en train de changer de sexe ? Si c'est un *trans,* son génie féminin est indubitable. Mais non, voyons, c'est une femme qui brûle dans sa négation. Maintenant, elle étouffe, elle se roule par terre, comme pour se tatouer de partout. L'émotion est à son comble. Certaines admiratrices reviendront tous les soirs.

D'où vous vient alors cette impression, de plus en plus forte, d'information *maquillée* ? On vous cache déjà les résultats des boîtes noires retrouvées en mer, à 4 000 ou 5 000 mètres de profondeur, dans des crashes d'avion inexplicables. Voici quand même quelques débris en surface : un bras humain, deux valises, un gilet de sauvetage, deux ou trois chemises, quelques effets personnels. Les dialogues tragiques entre pilotes, dans un cockpit en train de sombrer, sont-ils audibles ? L'eau salée ne les a-t-elle pas détériorés ? Le plus éprouvant, c'est le désespoir de certains proches des victimes. Les *cellules psychologiques* sont débordées.

Mais tout va si vite que l'impression de maquillage augmente. À peine avez-vous aperçu des débris, que l'implacable publicité suit son cours, de même que les cours de la Bourse, les bavardages politiques, et les massacres périodiques. Les épreuves sportives vous attendent. Dans cette confusion organisée, le maquillage a un seul nom dans toutes les langues : *Money*.

Inutile de dire que Lisa, dans sa beauté naturelle brune, ne se maquille jamais. Pas de rouge à lèvres, pas de vernis à ongles, pas de fond de teint, rien, une peau *mangeable*. Des crèmes, des parfums, pas de bijoux, pas de bagues. Des foulards, et des gants, l'hiver pour éviter le froid. Elle a une petite fille de 5 ans, mais elle n'a jamais eu envie d'être une « beautiful maman ». De nos jours, on peut presque tout maquiller, mais pas une partition de Mozart. On peut se déclarer peintre sans savoir ni dessiner ni peindre, mais impossible de jouer du piano, sans savoir le faire. Des milliers de gens jouent du piano. Mais la seule question, en jouant, est *d'être* Bach, Haydn, Webern ou Mozart. Seuls quelques très rares élus y parviennent.

# L'INSTANT

Comme il n'est plus question que de lui, de façon explosive, je me demande si le Coran ne pourrait pas me sauver. Je reprends donc l'étude des 114 sourates, toutes écrites au nom de Dieu, celui qui fait miséricorde, le Miséricordieux. Le Coran, on ne le sait pas assez, est *descendu* directement sur le Prophète, qui n'a fait que le réciter comme étant la Vérité elle-même. C'est un avertissement, un rappel, un « livre clair », dicté par le Dieu Vivant.

Je comprends vite que j'ai intérêt à être croyant, et à obéir à la lettre. À peine quelques fulgurations pour commencer, mais, tout de suite, un rabâchage infernal sur les peines qu'encourent les mécréants, promis, dans l'au-delà, à une fournaise épouvantable. Jardin délicieux pour les Bons, four pour les Méchants. Je suis très impressionné, mais vite fatigué par cette répétition inlassable. La Bible et les Évangiles, eux, sont pleins d'histoires, absurdes, peut-être, mais passionnées et souvent cocasses. Là, rien qu'un disque de punition indéfiniment ressassé.

Je garde quelques débuts foudroyants, par exemple celui de la sourate 51, « Par ceux qui se déplacent rapidement ». La 77, *Les Envoyés*, me convient aussi : « Par ceux qui sont envoyés en rafales ». Là, problème : si les « envoyés » sont trop nombreux, la rafale risque de ralentir. La 79, en revanche, *Ceux qui arrachent*, m'interpelle personnellement :

« Par ceux qui arrachent avec violence !

Par ceux qui courent rapidement !

Par ceux qui nagent avec légèreté !

Par ceux qui s'avancent les premiers pour diriger toute chose ! »

La 89, *L'Aube*, correspond à une de mes expériences intimes :

« Par l'aube !

Par les dix nuits !

Par le pair et l'impair !

Par la nuit quand elle s'écoule ! »

Mais ma préférée est bien la 103, *L'Instant* :

« Par L'Instant ! »

Là, inutile de continuer, tout est dit. Si je suis djihadiste, je commence immédiatement un carnage. Si je ne le suis pas, je célèbre d'un seul coup la vraie vie.

Nous sommes maintenant entre 1901 et 1904, et un drôle de type de 19 ans, qui deviendra très célèbre, écrit des trucs comme ça :

« Il est temps de partir maintenant – le petit déjeuner est prêt. Je vais dire une autre prière... J'ai faim, pourtant j'aimerais rester ici, dans cette chapelle tranquille, où la messe est venue, et s'en est allée si tranquillement... Je vous salue, sainte Reine, Mère de Miséricorde, notre vie, notre douceur et notre espoir ! Demain, et chaque jour qui suivra, j'espère vous apporter quelque vertu en offrande, car je sais que vous serez contente de moi si je le fais. Allons, à bientôt... et, oh, le beau soleil qui luit dans l'avenue, et, oh, le soleil qui luit dans mon cœur ! »


Ce bizarre écrivain, d'origine catholique, qui écrira plus tard un gros roman scandaleux, appelle ce genre de notations des « épiphanies », c'est-à-dire des apparitions. Le traducteur de Joyce définit ce qu'il voulait dire par là :

« Par épiphanie, il entendait une soudaine manifestation spirituelle se traduisant par la vulgarité de la parole ou du geste, ou bien quelque phase mémorable de l'esprit même. Il pensait qu'il incombait à l'écrivain d'enregistrer ces épiphanies avec un soin extrême, car elles représentaient les moments les plus délicats et les plus fugitifs. »

Voilà L'Instant.

Votre vie est remplie d'épiphanies, et il est triste que vous ne vous en rendiez pas compte. Vous les sentez, vous les pressentez, mais vous n'avez pas de mots pour les dire. Vous êtes dans l'autobus, tous les visages sont soucieux et fermés. Soudain, une jeune femme noire vous sourit sans raison, un rayon de lumière traverse la misère. Il pleut, le vent souffle, les passants déprimés se bousculent, n'importe, votre journée brille en secret.

Vous rejoignez votre Sud-Ouest enchanté, dans le Tarn-et-Garonne. Vous descendez sous terre, et vous avez soudain 176 500 ans. Vous vous recueillez devant une exposition de structures de stalagmites, qui prouve que l'homme de Néandertal, bien avant l'*Homo sapiens* (– 40 000 ans), était un artiste de premier ordre, un sculpteur inspiré de l'érection profonde. Ce chimpanzé supérieur, avide de beauté, a fragmenté, calibré et déplacé, en cercle, une série de stalagmites. Il devait se mettre au centre, et devenir *instant*.

## FEU

Dans l'expérience de la pensée vive, le temps finit par rentrer en lui-même, chaque moment et chaque geste trouvant, dans cette contraction, leurs homologues imprévus. Les points d'aimantation se multiplient et font signe, aucune ligne ne les contient, mais, simultanément, cette compression est une dilatation énorme. Coagulation et dissolution agissent en parfaite égalité d'intensité. Tout est à l'affût, tout *remonte*. À partir de n'importe quel point, vous pouvez vous lancer dans une virée rapide. L'Histoire est à vous.

Héraclite a raison de dire que l'harmonie invisible est plus belle que la visible, et qu'on n'échappe pas à ce qui ne sombre jamais. Et encore raison, en précisant que, si vous n'espérez pas l'inespéré, vous n'avez aucune chance de le trouver. Je l'aime bien, cet Héraclite, j'ai joué aux osselets avec lui, enfant, dans le temple d'Artémis, à Éphèse. C'était son occupation préférée.

On connaît sa conviction : ce monde-ci, le même pour tous, est un feu s'allumant en mesure, s'éteignant en mesure, et se rallumant en mesure. Grande musique du feu, qu'on entend dans cette formule éclatante : « Le soleil est un flambeau intelligent qui sort de la mer. »

Un certain Aétius s'exprime en ces termes :

« Héraclite ôtait du monde le repos et l'immobilité, car cela est le propre des cadavres. Mais il conférait le mouvement à toute chose, un mouvement éternel aux choses éternelles, un mouvement de corruption aux choses corruptibles. »

Pour Héraclite, les mortels ne voient rien, ne comprennent rien, et ils ne se rendent même pas compte qu'ils parlent. « Présents, ils sont absents. » On connaît, à son sujet, une anecdote célèbre : il se chauffe près d'un four, chez un boulanger, des disciples arrivent, ont peur de le déranger, reculent. Il les invite à entrer, puisque, dit-il, « ici aussi les dieux sont présents ». Ils sont présents partout, les dieux, dans les toilettes, les cuisines, les cafés, les studios d'enregistrement, les guerres, mais personne ne les voit, sauf, peut-être, cet enfant qui, dans un coin, dort profondément comme un roi.

Je regarde dormir ma beauté, mon enfant, ma sœur. Enfant, parce que baignée de musique. Elle sourit légèrement, et Mozart, à travers elle, est nouveau chaque jour, chaque mois, chaque année, chaque printemps, chaque été, chaque automne. Je l'embrasse doucement, elle gémit un peu, retourne dans son sommeil. Cette fin d'après-midi est magique. Elle doit jouer ce soir, elle fait entièrement confiance à sa plongée de repos. Je la laisse, et, comme nous sommes à Milan, je vais prendre un café près du Duomo.

Lisa a été extraordinaire dans le premier mouvement de feu sombre du 20e concerto de Mozart en *ré* mineur. L'intensité visible-invisible dépassait les murs, s'étendait sur la ville entière, et bien au-delà. À la fin de sa vie, Mozart disait : « L'inconnu me parle. » Ce concerto, écrit en 1785, semblait dater de la matinée. Lisa a été acclamée, et a joué ensuite la fabuleuse sonate en *ut* mineur, et, en bis, la *Fantaisie*, elle aussi en *ut* mineur, deux partitions dédiées par Mozart à son élève, Theresa von Trattner, avec des lettres d'accompagnement que celle-ci, plus tard, a refusé de rendre à la veuve de Mozart, Constance. Il suffit d'imaginer Theresa et Mozart, côte à côte, en train de jouer ce jour-là. Il lui pardonne ses petites fautes de mains, il l'aime. Le feu est là.

## SOLITUDE

Lisa s'est sentie seule très tôt, « absolument seule ». Mais la musique s'est emparée d'elle, et ne l'a plus quittée. À 8 ans, elle étonne tout le monde, elle joue sans arrêt, elle ne pense qu'à progresser. Elle devient l'élève préférée de cette reine du clavier qu'est Martha Argerich. Son royaume s'étend, les pianos sont ses palais, et il y en a des milliers dans toutes les villes.

À Paris, chez moi, c'est un rituel : Lisa entre, m'embrasse rapidement, et va droit au piano pour transformer l'atmosphère. Je viens d'être changé par son baiser, mais c'est toute la société qui devrait l'être, la violence des *Variations* de Webern est là pour ça. La bouillie romantique est éliminée, plus de psychologisme abusif, de drogue, de rock, de science-fiction, de bandes dessinées, d'argent. Adieu stupidité, ignorance, jalousies, meurtres, bavardages, bassesses. Voilà du tranchant : netteté, propreté, lucidité, clarté.

En 5 minutes 12 secondes, Lisa a construit son temple. La conversation peut commencer.

Lisa aime Giacometti, à cause de sa modulation vibrante dans l'espace. Elle pense que jouer, c'est à la fois ciseler et sculpter, en faire moins va vers l'essentiel, comme le prouvent ces petites figurines, peintes et dressées sur fond d'abîme, telles des déesses. Je remarque que, dans le livre de Genet, *L'Atelier de Giacometti*, elle a coché deux passages. L'un de Genet :

« La solitude, comme je l'entends, ne signifie pas condition misérable, mais plutôt royauté secrète, incommunicabilité profonde, connaissance plus ou moins obscure d'une inattaquable singularité. »

L'autre, de Giacometti lui-même :

« Un jour, dans ma chambre, je regardais une serviette posée sur une chaise, alors j'ai vraiment eu l'impression que, non seulement chaque objet était seul, mais qu'il avait un poids – une absence de poids plutôt – qui l'empêchait de peser sur l'autre. La serviette était seule, tellement seule, que j'avais l'impression de pouvoir enlever la chaise sans que la serviette change de place. Elle avait sa propre place, son propre poids, et jusqu'à son propre silence. Le monde était léger, léger… »

À peine Lisa a-t-elle joué, plus rien ne pèse dans la pièce. Il me semble que son foulard bleu, posé sur une chaise, pourrait tenir tout seul dans l'air si je retirais la chaise. Solitude de la musique, légèreté du temps.

La vaporisation du temps est mise en évidence par la mondialisation et le blanchiment d'argent. Circonstance aggravante, la délinquance est désormais partout. Prenez n'importe quelle ville occidentale, un reportage vous prévient :

« Le grand banditisme apporte son carnet d'adresses, ses liens avec d'autres sphères criminelles, les autres mafias, l'accès à la cocaïne (plus rémunératrice que le cannabis), les codes d'entrée vers d'autres secteurs, qu'ils soient économiques ou politiques. Les gens des cités fournissent, eux, des petites mains rompues à la violence, mais aussi capables d'accéder à certaines professions pour infiltrer les ports et les aéroports (indispensables pour le trafic de drogue) ou les préfectures (pour le trafic des véhicules). »

Voilà, vous prenez un délinquant classique et un peu brutal. Il boit de l'alcool, il mange du porc, il n'arrête pas de draguer des femmes. Soudain, il ne boit plus, laisse pousser sa barbe, ne devient pas religieux pour autant, mais rêve de se faire pardonner ses péchés en devenant martyr, ce qui lui permettra de retrouver, dans l'au-delà, des femmes autrement séduisantes que celles qu'il a sous la main. Il consulte Internet, il sait ce qu'il a à faire. Il se radicalise en huit jours, loue un gros camion, et fonce dans la foule. Horreur et stupeur garanties. Il n'était pas connu des Services de renseignements, il n'allait pas à la mosquée, il était illettré, il ne faisait pas le ramadan. C'est justement là qu'on apprend que, plus fort que toutes les polices, Dieu, qui l'a reconnu dans l'ombre, est grand.

En 30 secondes, des milliards de dollars sont partis en fumée. « Si l'univers était fumée, dit Héraclite, nous le connaîtrions par le nez. » Votre nez devrait être du côté à la fois de Marrakech, de Zurich, de Tel-Aviv, de Wenzhou. Regardez ces deux jeunes femmes sérieuses, en train de pianoter sur leurs ordinateurs, dans un bar des Champs-Élysées. Elles doivent envoyer des ordres et des contre-ordres. À n'en pas douter, leurs claviers ont du *nez*.

Cela dit, ne critiquez pas systématiquement le mondialisme. Il préserve aussi des solitudes bizarres, ce qui permet à un jeune Chinois, Jing Qi-song, originaire de Hongkong, de faire cette déclaration fracassante :

« En Chine, quand on dit bordeaux, on touche au divin. Maintenant je peux dire que j'ai touché au divin. »

# RÉVOLUTION

Il est presque impossible de faire entendre, surtout aux Français, que la Révolution française, partout imitée, jamais égalée, a été un grand drame religieux. On n'aura jamais vu un tel acharnement à dégommer la religion précédente pour se mettre à sa place au point clé. La Raison ? Vous voulez rire. Ce culte, avec une prostituée, en voiles transparents, sur l'autel de Notre-Dame de Paris, n'a eu qu'un temps chez les « enragés » de Hébert et de son *Père Duchesne*. Robespierre a vu tout de suite l'écueil. De la Raison, il est passé à l'Être Suprême. Manœuvre risquée qui, malgré la Grande Terreur, va lui coûter la vie.

La question centrale est évidemment celle de la mort. À l'époque, on l'administre à haute dose, mais de quoi s'agit-il ? Pour les uns, la mort est un *sommeil éternel*, et ils font graver ça sur l'entrée des cimetières. C'est une plaisanterie d'un goût douteux, aussi écœurante que l'inscription « Le travail rend libre », placée à l'entrée des camps d'extermination nazis. Les partisans du sommeil éternel ne dorment jamais, Fouché à Lyon, Carrier à Nantes, Tallien à Bordeaux. Le Comité de Salut Public a encore ses admirateurs, et même ses dévots, les cadavres ne leur font pas peur. Le sang gicle, mais le réveil sera rude.

Robespierre, en effet, n'est pas d'accord avec cet athéisme mortifère qui risque de désespérer les populations, et de les pousser à réintroduire l'ancien Dieu, avec ses promesses d'un au-delà factice. Il décide donc, contre le sommeil éternel, de décréter que la mort est « le commencement de l'immortalité ». Il fait changer les inscriptions dans ce sens, mais, du même coup, avec sa Fête de l'Être Suprême (organisée avec le servile peintre David), se met à ressembler à un pape de l'ancienne faribole (les papes ayant eu soin de maintenir l'Enfer – « Vous qui entrez perdez toute espérance » – avant un transit hypothétique vers le Purgatoire et le Paradis).

Le nouveau tyran, c'est clair, veut confisquer l'immortalité à son profit. Le Syndicat du sommeil éternel s'organise, Fouché en tête (grand policier, celui-là, qui servira tous les régimes suivants, avant de finir tranquillement ses jours à

Trieste, en 1820, avec le titre de duc d'Otrante). Robespierre est guillotiné, le sommeil éternel a gagné, et c'est, au fond, la religion cachée de la République, comme du monde entier.

Là-dessus, évidemment, vagues de délires, spectres, tables tournantes, marée noire occultiste (qui effrayait Freud), prolifération des sectes, initiations plus ou moins truquées, cauchemars souterrains, romantisme, « poésie » débile. La Technique, heureusement, balaye tout ça d'un revers d'ordinateur. Tout compte fait, je préfère rester avec mon Chinois divin, son verre de bordeaux à la main.

Et pourtant, malgré les contorsions du vieux Dieu en déroute, la Révolution suit son cours, et aucun Français ne devrait penser sans émotion à la fin de Napoléon, en exil, à Sainte-Hélène. C'est son plus fidèle adversaire, Chateaubriand, qui le décrit ainsi, dans ses *Mémoires d'outre-tombe* :

« Les différents voyageurs remarquèrent qu'aucune trace de couleur ne paraissait sur le visage de Bonaparte : sa tête ressemblait à un buste de marbre dont la blancheur était légèrement jaunie par le temps. Rien de sillonné sur son front, ni de creusé dans ses joues ; son âme semblait sereine. Le calme apparent fit croire que la flamme de son génie s'était envolée.

Il parlait avec lenteur ; son expression était affectueuse et presque tendre. Quelquefois, il lançait des regards éblouissants, mais cet état passait vite ; ses yeux se voilaient et demeuraient tristes. »

On a dit beaucoup de choses de Napoléon (quelle idée d'aller se perdre en Russie), mais jamais qu'il a été un mauvais général. Il est mort à 52 ans, au milieu d'une grande tempête, qui, le 4 mai 1821, a déraciné tous les arbres de Sainte-Hélène. Le 5, dit Chateaubriand, « à six heures moins onze minutes du soir, au milieu des vents, de la pluie et du fracas des flots, Bonaparte rendit à Dieu le plus puissant souffle de vie qui jamais anima l'argile humaine. Les derniers mots saisis sur les lèvres du conquérant furent : "Tête-armée, ou tête d'armée". Sa pensée errait encore au milieu des combats. »

Personne, en revanche, n'a rien retenu des mots prononcés dans son agonie, par un autre grand général, élève d'Aristote, mort à Babylone en 323 avant notre ère. Il essayait, en pure perte, de fondre les civilisations grecques et perses. Il revenait de l'Indus. Stendhal le compare à Bonaparte entrant victorieux à Milan, en 1796. Il s'appelle Alexandre le Grand.

La traduction française des *Vies parallèles* de Plutarque, en 1559, a eu un très grand succès (« jusqu'à la Révolution française », précisent les dictionnaires). C'est un évêque d'Auxerre, Amyot, qui s'est tapé le travail de la traduction à partir du grec. Ce Plutarque, mort vers 125, reste mystérieux. Il a voyagé en Égypte, résidé à Rome, et a quand même été prêtre d'Apollon à Delphes. Son livre pourrait d'ailleurs s'appeler *Les Morts parallèles*, car c'est dans ce registre, plein d'intersignes, qu'il brille le mieux. Voyez Alexandre, au sommet de sa gloire : il brûle soudain de fièvre, boit du vin, se met à délirer, et son agonie est interminable. Comme pour Napoléon, on a parlé d'empoisonnement. Mais :

« Durant la querelle des généraux, qui dura plusieurs jours, le corps abandonné sans soin dans un endroit où la chaleur était étouffante, n'offrit aucune marque de mort par empoisonnement. Au contraire, il resta pur et frais. »


Voilà un petit épisode babylonien, surveillé de loin par la légendaire reine Sémiramis, créatrice des jardins suspendus, l'une des sept merveilles du monde.

# MONUMENT

À Bordeaux, impossible de ne pas tomber en arrêt devant le *Monument aux Girondins*, avec sa colonne de 50 mètres de hauteur, surmontée d'une Victoire ailée, s'élançant d'un bassin glorieux de sculptures de bronze. Les chevaux se cabrent et vont s'envoler. C'est le moins que pouvait faire la République française, au bout d'un siècle de culpabilité.

Reprenons.

Les Girondins sont assassinés, entre mai et octobre 1793.

Hölderlin, « poète allemand », est à Bordeaux au début de 1802.

Entre 1894 et 1902, le Monument s'installe. Le bassin côté Grand Théâtre symbolise le Triomphe de la République, et, côté Jardin public, le Triomphe de la Concorde. On sent ici l'embarras, dû à un long refoulement pour conjurer ce crime. L'inscription intérieure, « Gloire aux Vaincus », le prouve.

Le 14 août 1943, les Allemands sont là, et, avec la complicité d'un maire collabo, ex-socialiste, déboulonnent l'ensemble des bronzes pour les fondre. Ils ne le seront pas. La remise en place des fontaines qui pèsent 52 tonnes de bronze, des 35 personnages, et de près de 70 pièces, a été terminée en 1984. De 1793 à 1894 : 101 ans. De 1943 à 1984 : 41 ans. Les Girondins ont la vie dure.

Ce soir, au Grand Théâtre, Lisa jouera *Les Suites françaises* de Bach. Je serai au troisième rang, un peu sur la droite. Quand elle entrera par la gauche, veste et pantalon noirs, petite brune aux cheveux courts, très chic et très stricte, elle fera un léger geste de la main dans ma direction. La sarabande de la première Suite dure environ 2 minutes 50, et la gigue 2 minutes 7. Même ordre dans les six Suites : en troisième position, sarabande, et, en dernier, comme d'habitude, gigue. C'est là que je l'attends. Après quoi, on ira dîner au *Souvenir*.

Après le maire collabo ex-socialiste de 1943, rallié au fascisme, il a fallu qu'un gaulliste résistant, général à 29 ans, vienne faire le ménage à Bordeaux. Il est élu à la mairie en 1947, et y restera jusqu'en 1995. En 1986, deux ans après la restauration du Monument aux Girondins, il est président de l'Assemblée nationale. C'est de Bordeaux, on ne s'en souvient pas assez, que de Gaulle a pris, en 1940, un avion pour Londres. Ce qui est beau, dans le roman de l'Histoire, c'est que tout se tient.

J'adore ma petite déesse musicienne grecque. Je l'embrasse de la tête aux pieds, en m'attardant sur ses genoux et ses mains. Ce soir, après le succès du concert, on est un peu ivres, on marche en s'embrassant le long des grilles du Jardin public. Il n'y a plus personne dans les rues, Lisa, dans son imperméable bleu sombre, est méconnaissable. L'hôtel n'est pas loin, on reste allongés sur son lit sans parler, et, pour dormir, chacun sa chambre. Le vin dira demain matin ce qu'avoir *réellement* dormi signifie.

Lisa doit repartir en fin de matinée pour Zurich. Je décide de descendre tôt jusqu'à la cathédrale Saint-André pour assister à une messe. Le vin a fait son travail, je me sens dégagé et souple. J'aime bien cette cathédrale de Bordeaux, son style sévère et silencieux, d'un catholicisme *anglais*, consacrée à l'apôtre qui aurait été le frère de saint Pierre. Il est le second dans la liste des aventuriers crucifiés un peu partout à l'époque. Pour lui, ça s'est passé en Grèce, à Patras, sur la mer Ionienne. Tous les martyrs de la liberté se ressemblent, et Zeus me pardonnera cette impiété. Le christianisme a détruit trop de statues magnifiques et de temples. N'empêche, ce vin, qui à l'instant vient de devenir sang dans la grande église déserte, appelle à lui tous les cris du monde. Je sors, un orage éclate, un éclair zèbre le ciel.

# TERREUR

Il faudra s'habituer à ce que les tueurs de l'État islamique ne viennent pas obligatoirement de Syrie ou d'Irak. N'importe quel délinquant marginalisé, en mal de vengeance, pourra faire l'affaire. C'est un homme jeune, il constate que le règne de l'homme est terminé, il n'en peut plus de la féminisation universelle propagée par le cinéma et la publicité, il se sent profondément ravalé, humilié, châtré. Il déteste aller en boîte écouter du rock et voir des filles impudiques se contorsionner. Il va se radicaliser peu à peu, et, soudain, à toute allure. Pas besoin de kalachnikov ou de ceinture explosive : un couteau suffira, ou une simple bagnole, fauchant les passants et fonçant sur les terrasses des cafés.

Des promeneurs, des filles en tenue beaucoup trop légère, des mères poussant leurs enfants, une femme enceinte ? C'est du pain bénit pour la mort. Non, cette espèce mécréante, abrutie dans sa routine narcissique, ne mérite pas de vivre. On va transformer tous ces consommateurs en charpie. Pas besoin de Coran, de mosquée, de Dieu, de sourates, de prêches : Internet dicte la conduite à suivre. Il faut tuer le plus possible de ces figurants du Spectacle. Les survivants entasseront sur place des milliers de fleurs, de bougies, de nounours. Certains iront même à la messe écouter un sermon lénifiant. Le Dieu des chrétiens n'a plus aucun pouvoir. Il était mort, il veut de nouveau mourir.

Voyez comme ce garçon est étrange : timide, effacé, réservé, rien à signaler, sinon son peu d'intérêt pour les jeux vidéo genre Pokémon, ou les bandes dessinées. Pourtant, il passe le plus clair de son temps devant son ordinateur, son isolement augmente, sans que sa famille, plus ou moins décomposée, ou ses voisins, accros à leur télé, ne le remarquent. Comment, lui, l'auteur de ce brusque carnage ? Oui, c'est lui, et en voici un autre, radicalisé récemment. Ils se vengent de votre stagnation molle, et, surtout, *laide*. Que vous le vouliez ou non, ce sont des militants de la beauté que vous censurez.

Ce jeune Afghan exilé a été logé chez une « famille d'accueil ». Au bout de deux ans, il trouve ces gens idiots, repus, affalés, d'une laideur satisfaite insoutenable. Il étouffe, il agit. C'est horrible, bien entendu, et peu digne d'entrer dans les annales du surréalisme, mais ce « crime abject et inqualifiable » (comme dit un ministre qui vient donc de le qualifier) s'enfonce dans les esprits. Les femmes devinent mieux de quoi il s'agit dans cette pulsion de mort visant directement leur fonction reproductrice. Elles sont en première ligne dans l'émotion et les cris.

Vos manifestations n'aboutissent à rien, les lois sont votées d'office. Vos « minutes de silence » font rire les nouveaux tueurs. Ils savent qu'en se taisant vos têtes sont pleines d'images et de récriminations mesquines. Depuis le paradis où ils se situent en mourant, ces martyrs vous méprisent. Ils sifflent les discours officiels, et, à Baton Rouge, en Louisiane, de jeunes Noirs, en représailles contre des bavures policières, abattent froidement des policiers blancs. Aucun rapport ? Mais si, justement, c'est dans l'air du temps.

Vous n'êtes en sécurité nulle part, « le risque zéro n'existe pas ». Cet hétéro frustré est sur votre piste. Ce gay perturbé va faire exploser un bar gay, cet adolescent fuyant serre son couteau dans sa poche, ce motard fou attend son heure : ils seront tous revendiqués par l'État islamique, qui est chez vous comme chez lui. Vous pouvez vous mettre en « état d'urgence », multiplier les écoutes et les perquisitions, attendre des appels de mères inquiètes, devenir *sentinelles*, la terreur surgit là où vous ne l'attendiez pas. Vous êtes obligés de parler sans cesse d'« union nationale », ou de « cohésion nationale », mais ce mot, « national », répété indéfiniment avec ceux de « République » et de « Valeurs », n'a aucune influence sur le divertissement général. Commerce d'abord, « Valeurs » ensuite.

Voilà un gros malaise dans l'effondrement d'une civilisation. Tant pis, vous gardez votre cap, avec Lisa, en appliquant cette formule d'un grand joueur d'échecs du passé : « Renforcer les points forts, jamais les points faibles. » Sous la pression de l'opinion, jamais aucun gouvernement ne pourra se permettre une stratégie de cet ordre. On pare au plus pressé, mais les tueurs ne sont pas pressés. Ils attendent un relâchement de la vigilance, ici, là ou là-bas. De toute façon, les candidats au suicide de meurtre ne manqueront pas.

## AQUITAINE

Elle est là, dans l'abbaye de Fontevraud, elle semble dormir, mais, en réalité, elle est morte, puisqu'elle est allongée sous forme de gisant polychrome, vert, violet, jaune, rose, coiffée de la couronne royale, avec un livre ouvert dans les mains. C'est la première fois, paraît-il, qu'une femme en train de lire est représentée dans l'Occident médiéval.

Qu'est-ce qu'elle lit, les yeux fermés dans la mort ? Elle a disparu en 1204, à 82 ans, mais là, elle a 30 ans, elle n'est pas du tout religieuse, les historiens pensent que le livre est un psautier, mais je penche plutôt pour des poèmes d'un de ses amis troubadours. C'est ma reine de France et d'Angleterre, ma duchesse d'Aquitaine, ma souveraine d'enfance, la très mystérieuse Aliénor.

Aliénor ! Que de rêves dans les jardins de Bordeaux ! Quel trouble, en lisant un jour, à son sujet, que « son tempérament ardent n'a pas pu s'accorder avec celui, monacal, de son époux » ! Est-ce lui, comme on le raconte, qui la répudie à cause de son inconduite, ou bien elle qui se sépare de ce fade roi de France du nom de Louis VII ? Au cours d'une croisade, à Antioche, la rumeur attribue à Aliénor une liaison incestueuse avec son oncle, Raymond de Poitiers. C'est le début de ce qu'on appelle sa « légende noire ». Elle m'intrigue de plus en plus.


Huit semaines après l'annulation de son premier mariage, elle épouse, le 18 mai 1152, Henri Plantagenêt, futur roi d'Angleterre. L'ancienne reine de France est également reine d'Angleterre à 30 ans. Elle aura cinq enfants dont le plus célèbre, son préféré, est Richard Cœur de Lion. Vie mouvementée, révoltes, détention, liberté, dernier refuge dans une abbatiale. Fallait-il, à l'époque, suivre une pucelle d'Orléans qui entend des voix lui demandant de chasser les Anglais de France ? Dans l'esprit collectif des Français, Jeanne d'Arc est une sainte, Aliénor une traîtresse. Il faut dire qu'elle apporte à la couronne anglaise une dot fabuleuse, et tout ce qui s'ensuit, dont le vin, et la présence ultra-poétique du Prince Noir, prince d'Aquitaine de 1362 à 1372, lequel, avant de passer chez Gérard de Nerval, avec sa « tour abolie », son « étoile morte », son « luth constellé », et son « soleil noir de la mélancolie » (rien de tel, pourtant, dans son caractère), est présent dès le début des *Essais* de Montaigne.

La présence anglaise dans le Grand Sud-Ouest de la France, rebaptisé désormais Nouvelle Aquitaine, a duré deux siècles. Essayez maintenant de parler à des Français d'Aliénor ou du Prince Noir : silence contraint, hostilité palpable. L'Angleterre est l'ennemi héréditaire : Jeanne d'Arc, la Révolution, Napoléon, la ridicule monarchie anglaise, les mauvais Européens, le fantôme de De Gaulle, tout se mélange en négatif dans les familles ex-vichystes ou ex-communistes. Les Allemands ou les Russes, pourquoi pas, les Américains ça va, mais les Anglais, en aucun cas.

Elle survit bizarrement au cinéma, Aliénor, dans deux films portant le même titre : *Le Lion en hiver*. Quelles actrices se sont dépensées pour elle ? Katharine Hepburn, en 1968, et Glenn Close, en 2003. Glenn Close est ainsi allée se promener à la fois dans Aliénor et dans la marquise de Merteuil des *Liaisons dangereuses*. Aucune actrice française n'aurait pu en être capable.

Les négociants de vin de Bordeaux sont vite représentés en Angleterre par une association surnommée « les Gascons de Londres », la « Merchant Wine Tonners of Gascoyne », qui va engendrer la prospérité inouïe de toute la région. L'année 1306, par exemple, constitue un millésime exceptionnel : 900 000 barriques de vin de Bordeaux sont exportées, et un certain Hugh Johnson, dans son *Histoire mondiale du vin*, précise que « la moyenne des exportations vinicoles de Bordeaux, pour les sept premières années du 14e siècle, est de 83 000 tonneaux, soit environ 750 000 hectolitres, dont la moitié destinée aux îles britanniques. »

Il y avait déjà les Irlandais, voici les Hollandais. Mais le 11 avril 1663, l'écrivain et mémorialiste anglais Samuel Pepys note qu'il a bu, dans une taverne de Londres, au bord de la Tamise, un vin remarquable de Bordeaux, appelé « Ho-Bryan ». Il s'agit évidemment du célèbre et génial Haut-Brion, fondé en 1525 (je suis né tout près de ses vignes). Inutile d'insister sur Shakespeare, auteur et acteur. Comment aurait-il pu tenir ce rythme sans ses verres de vin d'Aquitaine ? Sans une pensée secrète pour Aliénor ?

Irlandais, Anglais, Hollandais, Allemands, et, maintenant, de plus en plus de Chinois. Les propriétaires essaient de se faire un nom à travers leurs châteaux. Ils viennent de l'industrie, des médias, du luxe, de la grande distribution, de l'agroalimentaire ou des assurances mutuelles. On achète l'aristocratie qu'on peut.

Pas loin des vignes de Haut-Brion, fonctionne un étrange laboratoire, *Poietis*. Il poursuit en douce des études sur des échantillons d'épiderme, créés à partir de cellules vivantes traitées par imprimante 3 D. Ce nom de « Poietis », où vous entendez à la fois « peau » et « poésie », m'enchante. On pressent toutes les conséquences possibles dans l'univers des greffes et des cosmétiques. On imprime et on reproduit des peaux au laser : il faut dix minutes pour imprimer 1 cm$^2$ de peau. L'idéal serait d'imprimer directement la peau d'un dormeur. Une technicienne vous l'explique : « Même endormi, un patient n'est jamais totalement immobile, car il respire. Il nous faut donc concevoir un laser capable de compenser ces micro-mouvements et de tourner autour des membres ou organes ronds. » Personne ne demande à cette charmante laborantine en blouse blanche, ce qu'elle entend par « organes ronds ». Voilà les *gisants* d'aujourd'hui, véritables gisements cellulaires. Ah, la peau d'Aliénor, couchée dans les siècles !

En 2005, surprise : un pépiniériste donne à une rose blanche le nom d'Aliénor. Jean Genet, dans *Miracle de la rose*, fantasme beaucoup sur

Fontevraud, abbaye transformée en prison de 1804 à 1963. Il n'a jamais été incarcéré là, Genet, mais il a été dans une maison de correction très proche, Mettray. Il invente une détention à Fontevraud, à ses yeux grand lieu de gloire pour des criminels promis à la guillotine. Un gardien lui demande son nom : « Genet. » L'autre plaisante : « Plantagenêt » ? Genet ne sait rien des tombeaux du dessous, où Aliénor voisine avec Henri II Plantagenêt, son mari, roi d'Angleterre. Il ne parle pas d'Aliénor, Genet, il s'en fout, et, de son point de vue, il n'a pas tort. Et pourtant, comme sa vie le prouve, il est, sans conteste, un *écrivain du royaume*. Lequel ? Celui d'Aquitaine, qu'il n'a pas connu.

# DIRECT

Vous vous souvenez d'un monde ancien, où la plupart des événements du monde vous arrivaient en *différé*. Maintenant, vous vivez constamment en *direct*, ou, comme on dit dans les jeux vidéo, dans une « réalité augmentée ». Vous vous demandez souvent si ce qui a lieu n'est pas du cinéma global. Vous voyez les mêmes foules partout, les mêmes attentats, les mêmes ambulances, les mêmes voitures de police. Il paraît que la mort est là, mais est-ce si sûr ?

Cette « priorité au direct », assurée par les chaînes câblées, vous donne un sentiment croissant d'irréalité, qui culmine dans les séquences *no comment* des images présentées sans le son. La même image, sans son commentaire parlé, n'est plus du tout la même. Elle devient intensément virtuelle, et vous vous rendez compte que seul le bavardage, à son sujet, garantit sa véracité. Le monde entier se met à exister par cet énorme concert de voix constantes et discordantes. Elles s'imposent dans une répétition programmée.

De temps en temps (mais c'est rare), un concert vous rassure. Voilà Lisa au piano, bien filmée. Tout s'interrompt, le temps est suspendu, il entre dans une autre dimension physique. Rien ne peut perturber la musique. Mozart vous dit, par exemple, que la mort est la meilleure amie de l'homme. Ne le répétez pas, ça jetterait un froid.

Jouer à la beauté avec la mort ne va pas de soi. Énergie, dessin, virtuosité, précision, aisance sexuelle, ça y est, c'est la joie. Le vieux Picasso, après plus de cinquante ans d'expérience, y parvient avec maestria, ce qui lui vaut des éreintements de presque toute la presse (surtout anglo-saxonne). « Sénilité », « impuissance », « obsession » sont les mots les plus doux. *Time Magazine* parle de « griffonnages », et de « calamiteux barbouillages ». En France, le journal *Combat* se félicite d'avoir vomi Picasso, « pour se débarrasser d'un repas qui ne passe pas ». C'est clair : Picasso, à la fin des années 1960, est fini, il n'est plus qu'un vieillard obscène.

On l'a dit autrefois à Moscou, on le redit à New York, et même à Paris. Puritanisme, bien sûr, mais, surtout, haine du *direct*. À l'époque, tout le monde célèbre Duchamp contre Picasso. Trente ans après, en 2001, tout se retourne. L'exposition parisienne *Picasso érotique* est un grand succès. En serait-il de même aujourd'hui ? J'en doute.

Ou plutôt, je n'en doute pas, puisque le magazine du *Monde*, qui publie le récit de cet aveuglement saisissant, reproduit, en pleine page, un gros barbouillage, très « art contemporain », d'une artiste qui imagine Picasso, à la fin de sa vie, de dos, dans une sorte de cathédrale gothique. Elle s'appelle *Aline*, et serait très étonnée, de même que la directrice du magazine, si on lui disait qu'elle déteste violemment, *aujourd'hui*, Picasso. Son barbouillage infantile est très *laid*, mais voyons, ça n'a aucune importance.

Et, en effet, ça n'a aucune importance, sauf pour quelques arriérés qui s'intéressent encore à la beauté explosive de Picasso. La dernière fois qu'*Aline* a sévi dans le même magazine a consisté à barbouiller une photo célèbre de Joyce. Décidément, elle a du goût : elle sait sur *qui* il faut gribouiller pour se faire valoir. On attend avec impatience son prochain attentat, qui n'aura, comme le précédent, aucune importance.

L'important, ce sont les accidents, les catastrophes naturelles, les attentats, les cadavres recouverts de draps dans les rues, les pleurs, les fleurs, les bougies, et les nouveautés techniques. Priorité au direct. J'espère qu'*Aline* aura l'occasion de faire un sanglant barbouillage de Bach ou de Mozart, pour que je puisse voir la charmante grimace de Lisa, quand elle est vraiment dégoûtée par quelque chose.


Vous vivez en direct, donc la moindre couleur vous appelle. Dans le tourbillon documentaire, vous trouvez immédiatement ce qu'il vous faut. Vous assistez au procès de Jeanne d'Arc, vous suivez de près sa réhabilitation et sa canonisation, vous notez l'effarant unanimisme qui la concerne, vous cadrez les visages de tous les hommes politiques contradictoires qui viennent s'incliner et déposer des gerbes de fleurs devant sa statue. Vous restez seul avec Voltaire, cet agent anglais, un as français du *direct*. Vous n'avez même pas honte de relire Nietzsche :

« La civilisation n'a pu naître que des castes aristocratiques, – et chez des solitaires qui répandaient autour d'eux un mépris dévorant. »

Ou encore :

« Dans ce siècle d'impressions rapides et superficielles, le livre le plus dangereux n'est plus dangereux. Il cherche les cinq ou six esprits

assez profonds pour le comprendre. De surcroît, quel mal y a-t-il à ce qu'il aide à détruire
une pareille époque ? »


Cinq ou six, c'était le bon temps. Ces jours-ci,
disons deux ou trois, et encore.

## PSYCHOSE

L'attentat-suicide n'est pas uniquement une spécialité « islamiste ». De nouveaux candidats se manifestent de plus en plus, comme si la psychiatrie était devenue une donnée ouvertement planétaire. Des déséquilibrés délinquants passent à l'acte, ce qui ne les empêche pas d'être revendiqués comme des combattants coraniques martyrs. Lisa vient d'annuler trois concerts en Allemagne, et les abonnés du festival de Bayreuth, malgré des mesures exceptionnelles de sécurité, sont inquiets.

Reconnaissez que *Le Crépuscule des Dieux* protégé par la police a une drôle d'allure. Ne murmurez pas que la condamnation sans appel de Wagner par Nietzsche porte enfin ses fruits. Aucun cinglé, pour l'instant, ne s'est réclamé de *Zarathoustra*, même pas un Japonais, qui a opéré un massacre dans un centre de handicapés. Nietzsche est devenu fou, c'est un fait, mais enfin il n'a pas eu la force de tuer sa mère et sa sœur, laquelle sœur a offert, après la mort de son frère, sa canne à Hitler. *Mein Kampf* est-il un livre dangereux ? Non, puisqu'on le réédite avec le plus grand succès, malgré des polémiques vaseuses.

Le Chevalier de La Barre, décapité et brûlé en 1766, et réhabilité, plus tard, par la Convention, a-t-il mutilé un crucifix, ou simplement négligé de retirer son chapeau au passage d'une procession ? Quoi qu'il en soit, sa bibliothèque l'accuse, volumes libertins, et, surtout, le *Dictionnaire philosophique* de Voltaire, livre très dangereux, qui nous paraît, aujourd'hui, l'évidence même. La psychose a ses courants, ses marées, ses inondations, c'est une possibilité toujours présente. Qui s'attendait à la sanglante « révolution culturelle » déclenchée par Mao ? Personne. Qui pouvait imaginer *jusqu'où* iraient Staline et Hitler ? Qui a prévu le terrorisme islamiste ? Qui se doute des actes de vengeance envisagés par des hordes de maniaco-dépressifs ?

Toute cette psychiatrisation endémique retombe en pluie fine sur les populations. Leurs loisirs sont empoisonnés, leurs vacances intoxiquées, et, même s'il fait beau, leur ciel psychique, bas et noir, pèse comme un couvercle. Les discours politiques sont inaudibles, les foires électorales ennuient. Un coup d'État, et sa répression sauvage n'émeut que les journalistes. Pauvres journalistes, obligés de prolonger la pression ! Pauvres policiers et gendarmes épuisés, comme des militaires, par des journées de bagne ! Cela dit, le plus étrange est que la grande majorité des habitants ne semble au courant de rien, ou de presque rien, sauf si quelque chose a lieu dans leur quartier, ou dans un endroit connu. De toute façon, ça les concerne très peu, c'est loin.

Dans ces conditions, le moindre surgissement de beauté prend une force énorme. Voici un orchestre classique de Toulouse, qui, sous la direction d'un chef *letton*, interprète *La Symphonie fantastique* de Berlioz. J'avais oublié que cette symphonie, sous-titrée « Épisodes de la vie d'un artiste », était un hymne à l'opium. Freud, très aidé, au départ, par la cocaïne, avait coutume de dire qu'il avait réussi là où le paranoïaque échoue. L'état psychotique du jeune Berlioz crée ici une réussite éclatante. Les musiciens et leur chef, ce soir, sont à la hauteur de la mort. Jamais la radio n'a été plus vivante, bien plus réelle que les fleurs, les pieusetés, les bougies. Au cas où vous l'auriez oublié, la Lettonie (capitale *Riga*) a longtemps été occupée, comme l'Estonie et la Lituanie, par l'ex-URSS, et craint toujours de perdre son indépendance face à la Russie. L'Histoire est une symphonie fantastique, c'est le moment de l'écouter davantage.

Tout à coup, vous êtes dans une petite commune de Seine-Maritime, dans la vallée de la Seine, qui a été connue pour son activité de papeterie. Mais que se passe-t-il, ce matin, dans ce coin tranquille ? Un vieux prêtre catholique de 86 ans dit sa messe, trois personnes, dont deux religieuses, y assistent. Deux très jeunes tueurs islamistes font irruption dans l'église, égorgent le prêtre sur l'autel, blessent un fidèle, *filment* leur action, sortent en criant le nom d'Allah, et sont abattus sur le parvis de l'église. Psycho-choc national, avec, de nouveau, fleurs, bougies, appels à l'unité, à l'amour, et au « vivre ensemble ». Impossible d'accepter qu'il s'agit, tout simplement, d'un fait divers minable. La mort est minable, c'est tout.

# BEAUTÉ

Les totalitarismes du $20^e$ siècle ont produit des virus nouveaux, qui, eux-mêmes, subiront une mutation, avant d'être éliminés par la Technique. L'« islamisme » est un mauvais moment à passer, comme tous les terrorismes de l'avenir, puisqu'il s'agit d'une infection renouvelable. Un phénomène de mort déborde, il franchit des lignes rouges ou ultra-violettes, il faiblit, il disparaît lentement, remplacé par un autre, et puis par un autre. L'humanité est une maladie dont les religions ont eu pour fonction de canaliser la fièvre. Mais les religions sont mortes, ou se décomposent dans des sermons creux d'agences humanitaires. Reste la manipulation de l'ignorance, qui peut aller des manifestations de masses au crime.

Un jour, alors que personne ne s'y attend, une marée de beauté envahit l'espace. Des types bizarres, qu'on nomme vite « impressionnistes », se mettent à célébrer la nature, l'existence, les pins, les peupliers, les roses, les coquelicots, les pivoines, les nymphéas, les déjeuners sur l'herbe, les femmes respirables et sans voiles, les enfants. On les couvre d'injures, ils persistent. Et puis, ils disparaissent dans l'atmosphère, après avoir prouvé que les ombres ne sont pas noires mais bleues. La nature a rapidement révélé sa beauté. Il est stupéfiant qu'on l'oublie.

On peut s'en souvenir, à Paris, en regardant intensément la grande rosace de Notre-Dame, pendant un service funèbre. Ce miracle de la rose mystique flamboie comme un tonnerre silencieux, et une formidable espérance se lève au-dessus de la foule aveugle. On interroge quelques spectateurs, et ils ânonnent des clichés sur la paix et la solidarité, plus fortes que la haine. C'est la tisane du jour. La rosace, elle, est en guerre intime, elle est faite pour des victoires et des résurrections. Elle demande à être vivifiée par la musique, pas de chœurs ni d'orgue, non, un piano suffirait.

Et le voici, ce piano, puisque Lisa, à Berlin, va interpréter les *Variations Goldberg*, concert retransmis par la radio, et que j'écoute à la campagne. La prise de son est excellente. Lisa entre, les applaudissements la saluent, elle est très près et très loin, je sais la façon qu'elle a de respirer pour ce long voyage. Les *Goldberg*, c'est les Alpes. Elle commence, et c'est parti dans la nuit.

Je suis tout de suite débordé par la force et le délié du jeu de Lisa. Elle est très concentrée, mais elle vole. Elle gravit cette montagne sans aucun effort, elle parvient au sommet en quelques minutes, elle dévale à toute allure dans les trilles et les éboulis, elle va tomber, mais non, elle se raccroche, et elle est de nouveau en haut, et puis en bas, et puis de nouveau en haut, comme un métronome changé en oiseau.

Vous connaissez le grand truc des *Variations* : vous pensez chaque fois que ça va finir, et pas du tout, ça reprend, c'est interminable, cette prise de sang vient du fond des âges, ce Bach est complètement fou. Cette pianiste délicate, qui n'a pas trente ans, est une géante, la rosace est là, sous ses doigts. Je m'aperçois que je pleure depuis un bon moment dans la nuit noire. Voilà, il est temps de calmer la tempête, de rentrer dormir. Le public, là-bas, est soufflé et commotionné, on dirait qu'il a peur d'applaudir. Enfin, ça vient, et c'est du délire.

# ROYAUTÉ

La France est le pays des accomplissements imprévus. Toutes les contradictions, comme des fleuves, coulent vers elle. Elle les intègre et les assimile, non sans mal, dans des synthèses instables, qui, sans arrêt, se métamorphosent. C'est le pays des fins qui s'ignorent. Drôle de royaume révolutionnaire, évoqué par Rimbaud dans *Illuminations*.

« Un beau matin, chez un peuple fort doux, un homme et une femme superbes criaient sur la place publique. "Mes amis, je veux qu'elle soit reine !" "Je veux être reine !" Elle riait et tremblait. Il parlait aux amis de révélation, d'épreuve terminée. Ils se pâmaient l'un contre l'autre.

« En effet, ils furent rois toute une matinée où les tentures carminées se relevèrent sur les maisons, et tout l'après-midi, où ils s'avancèrent du côté des jardins de palmes. »

C'est un rêve, et ce n'est pas un rêve. Les Français ont fait la Révolution et systématisé la Terreur, mais « un beau matin » (ça alors !), ils se sont transformés (pour un jour) en « peuple fort doux ». Un homme et une femme superbes crient sur une place publique, disons la place de la Concorde, à Paris, ex-place Louis XV. Le roi et la reine, guillotinés sur place, se relèvent, métamorphosés, sur une arche, en couple de jeunesse ravie. L'égalité entre roi et reine, jusque-là interdite, est proclamée, dans une tonalité extatique et initiatique, comme une révélation et une épreuve terminée. On se croirait dans *La Flûte enchantée.*

Ils crient tous les deux, elle rit, elle tremble, il parle, et ils se *pâment* l'un contre l'autre. Leur spasme est spirituellement réciproque. Nous sommes à deux pas du Jeu de paume, c'est-à-dire du serment du 20 juin 1789. Pour cet événement grandiose, qui ne dure que toute une matinée et tout l'après-midi, il est juste qu'une couleur *carmin* soit convoquée sur les belles maisons de la place. Ce rouge intense des tentures est soulevé par le vent nouveau. Quant à l'après-midi, il n'en finira pas d'avancer, avec le roi et la reine, du côté des jardins de palmes, aux Tuileries, si l'on veut, jardins où il est légitime de se *pâmer.*

*Royauté* est un psaume chanté à Paris par un jeune homme de 20 ans, après une révolution dans la révolution. Vous auriez pu être à Babylone ou dans la Jérusalem céleste de l'Apocalypse, mais ici le monde n'a pas disparu, et la beauté, par-delà les ténèbres, brille de tous ses feux quand elle veut. Le Royaume est une Révolution permanente, dont la langue, portée à un certain niveau, reçoit tout et traduit tout *en mieux*. Ce roman est très mystérieux.

Il y a le Royaume des Morts, et celui des Cieux. On entre dans le premier comme dans un moulin, et dans le second par miracle. Les portes sont soigneusement verrouillées par le clergé du Spectacle, dont les employés sont traités par Matthieu, dans son Évangile qui n'y va pas de main morte, de « sépulcres blanchis ». Tout est investi dans l'apparence sociale, mais, à l'intérieur, règnent la pourriture et les ossements. Bien entendu, ces temps sont très lointains, et les Scribes et les Pharisiens hypocrites n'ont plus de prophètes à assassiner et à lapider. Le clergé peut même faire l'apologie des prophètes assassinés du passé, les couvrir de commentaires, ou leur construire des mausolées décoratifs. Les assassinats d'aujourd'hui ont lieu silencieusement dans l'ombre. Personne ne doit entrer vivant dans le Royaume des Cieux.

D'où des controverses constantes sur le Royaume des Morts, et des commémorations à n'en plus finir, servant de support à la marchandise spectaculaire. Supposons : Je suis Dieu, c'est-à-dire Dictateur. En hommage aux victimes du monde entier, j'interdis la publicité pendant deux jours. Si je suis obéi, je prouve enfin mon existence. Sinon, circulez toujours.

Matthieu a une définition amusante du redoutable clergé de son époque, préoccupé de discussions et d'arguties infinies sur des questions plus épineuses les unes que les autres :

« Ils arrêtent au filtre le moustique, et ils engloutissent le chameau. »

En effet : où est passé ce chameau ?

## NATURE

Contrairement à ce qu'on croit, la Nature n'est pas indifférente, et peut même, comme ce matin, se montrer très attentive. Pas un souffle de vent, un gris protecteur, un assentiment général de l'océan et des arbres : jamais ce laurier-rose n'a été si beau. Tout a profondément dormi dans la certitude. Le soleil n'est pas encore là, mais il va venir, il viendra.

Treize mouettes immobiles sont disposées devant moi, en cercle. On dirait un concile. Soudain, des cris : sept mouettes fondent de loin sur la maison, tournent autour d'elle à grand bruit, et repartent. Elles étaient loin, elles sont déjà loin. De nouveau, grand silence. Lisa dort.

Tous les soirs, pendant que le divertissement bat son plein, des milliers de jeunes gens, en prison ou ailleurs, se radicalisent, et n'arrêtent pas de consulter leurs messages cryptés. Ils se donnent des rendez-vous improbables pour des attentats, échangent des informations sur des cibles possibles, changent de pseudos en même temps que d'identités. On les repère très mal ou trop tard, et une éducatrice, dans la chambre d'à côté, découvre après coup l'incompréhensible. Irez-vous tout à l'heure à ce concert ? À cette grande fête ultra-sécurisée au bord d'une piscine privée ? Pas sûr.

Eh bien, l'élément nouveau, pour qui sait le ressentir, est que la Nature elle-même se radicalise et se crypte. Ces treize mouettes (pas une de plus) forment un rébus. Les sept suivantes criaient un message. Cet acacia tient à répéter qu'il résistera à tout. Cette marée montante est décidée à couvrir d'oubli toutes les souillures. Cette encre bleue, sur le papier blanc, poursuit ses lignes codées. Ces moineaux ont leurs trajets fulgurants, mais compréhensibles. Ces deux colombes, posées sur le puits, ne se quittent pas, et pour cause. Le lierre prophétise et répond au laurier, les roses chantonnent, l'horizon écoute.

Les anciens Grecs connaissaient ce cryptage. Les revoilà, et leurs dieux ne sont jamais partis dans l'au-delà. Vous êtes leur mortel choisi pour les entendre. Ils vous attendaient, ils vous contactent. Les catastrophes et l'imbécillité générale, c'est-à-dire la surdité, ne leur font pas peur. Ils vous envoient leur grande consolation, ils bénissent le sommeil de Lisa.

Voici, sur le gravier, une colombe timide. Elle pique des grains invisibles entre les cailloux. Son œil penché me tient à distance, mais je comprends très bien ce qu'elle me conseille : rester aux rives prochaines, persister dans un monde toujours beau, toujours divers, toujours nouveau, me tenir lieu de tout, tenir pour rien le reste. C'est une petite apparition entre tout et rien, une promesse. À demain, sous une autre forme, sans doute.

On revient d'Égine, mais la Méditerranée est maudite, et le tragique exode migratoire est plus meurtrier que jamais. Le temple d'Athéna pleure. Ici, pas de ruines ni de temple, pas de Dieu unique. Quelle idée, d'ailleurs, d'avoir voulu enfermer les dieux dans des pierres et des colonnades, dans des textes, des cathédrales, des synagogues, des mosquées. Les dieux sont incernables et inarrêtables, ils détestent les rassemblements. À peine avez-vous bougé ou parlé, qu'ils ont fui. Voilà, il y a maintenant trop de lumière, les dieux ont basculé dans la nuit. Ne comptez pas les retrouver sur les plages. Dans un terrain vague ou une clairière, peut-être, à l'abri.

Mais enfin, cette colombe m'aime. Elle ne bouge pas de la margelle du puits, en se tournant tantôt à droite, tantôt à gauche. Elle s'envole, mais se pose de nouveau, dans un calme si vaste qu'il pourrait exploser. Toujours pas le moindre vent, le moment des papillons blancs commence. Je vais aller me baigner dans une anse déserte. Lisa sait où elle se trouve, elle me rejoindra.

Le soir, elle me joue la lente, douce et merveilleuse *Berceuse* de Chopin, arabesques, glissandos, trilles. C'est une fée, répandant une rosée nocturne, une fraîcheur de prairies et de pierreries. Un penseur a parlé de la nuit comme d'une « couseuse d'étoiles ». C'est ça.

## INNOCENCE

« Vous n'avez pas honte ? »

Même si elle n'est pas prononcée, cette phrase court les rues et occupe les esprits vingt-quatre heures sur vingt-quatre. Vous devriez avoir honte de vivre une histoire d'amour, quand la misère et la souffrance déferlent sur la terre entière. Honte de votre enfance riche et protégée, honte de votre apologie de la gratuité, honte de vous prélasser en musique avec une jeune femme étrangère, honte de votre élitisme égoïste et de votre emploi du temps dégagé.

Ce qui aggrave votre cas, c'est qu'au lieu de vous plaindre et de ronchonner, comme tous les réactionnaires (« quel désastre », « c'était mieux avant »), vous semblez approuver le désastre, en tirant, plus que jamais, votre épingle du jeu. On vous voit déposer des fleurs et allumer des bougies en hommage à votre passé. On vous a entendu dire que vous étiez un innocent dans un monde coupable. Vous ne répondez pas aux critiques et aux objections, comme si vous partagiez l'avis d'un écrivain français désinvolte, qui a dit : « Se défendre est inutile, se faire défendre est lamentable, l'essentiel est votre œuvre, le temps, et les ennemis de vos ennemis. »

Que d'efforts ratés pour vous inculquer le péché, la culpabilité, l'égalité, la solidarité, la fraternité ! Ce grésillement vous poursuit, on vous range, on vous dérange, on vous évite, on vous ignore, on vous enterre. Mais ça reprend vite, dans la rancœur, la rumeur, la tumeur. Il paraît que vous ne vous ennuyez jamais. C'est l'horreur. On vous a entendu murmurer mille fois « on vit chez les fous », avec bonne humeur.

Votre discours à l'Assemblée nationale a été justement censuré. Vous n'avez pas craint de prononcer ce blasphème : « Je loue cette poussière qui me constitue et qui vous parle. » L'hémicycle, de gauche à droite et de droite à gauche, vous a hué. Pas plus de succès à l'extrême droite et à l'extrême gauche. Devant toutes ces insolences, le CUR (Conseil pour l'Unité des Religions) a appelé à votre boycott. Aimé d'une colombe, dites-vous ? Partisan d'un retour des dieux grecs ? En phase avec une musicienne classique qui n'écoute pas de rock, n'a jamais gigoté en boîte, se fout de la mode et de la propagande « féministe » ? Tout cela est insupportable.

Votre innocence est en réalité une dérobade, et une dissimulation de caste et de classe. Vous êtes un exploiteur de situations. Vous n'avez jamais travaillé, vos diplômes sont inexistants, aucune entreprise sérieuse ne vous embaucherait, vous ne serez jamais syndiqué, personne n'a jamais vu votre carte bleue, l'Université vous méprise. Prêtre, vous auriez sûrement été pédophile, philosophe, antisémite et nazi, militaire, homophobe, policier, islamophobe, journaliste, humaniste stipendié, chef d'entreprise, écrabouilleur de salariés, milliardaire, crypto-communiste. Toujours opportuniste, vous survivez à toutes les purges, flic, vous êtes employé du narco-trafic, femme, vous nagez comme un poisson dans l'eau trouble des ambiguïtés, gay, vous contrôlez le Marais, directeur du renseignement, vous renseignez vos adversaires, espion, vous avez dix identités, pour surveiller vos alliés, patron de l'information, vous n'avez pas votre pareil pour désinformer.

Pape, vous bénissez à tour de bras, en étant athée, imam, vous envoyez à la mort de jeunes décérébrés, peintre, vous exposez, en changeant chaque fois de nom, des croûtes qui ont le plus grand succès, architecte, vous bétonnez des cités, cinéaste, vous savez, en psychiatre avisé, la marchandise qu'il faut livrer, sportif, vous passez, les doigts dans le nez, l'épreuve du dopage, politicien, il vous faut de l'argent, c'est là où les ennuis commencent, publicitaire, vous régnez sur des milliers d'esclaves sous-payés, si vous êtes dans la mafia, vous êtes à la tête de la lutte contre la mafia – bref, vous avez assez d'imagination pour endosser tous les mauvais rôles de l'histoire ancienne et contemporaine, ce qui prouve que vous êtes un excellent romancier, avec un tempérament d'enfer.

Mais c'est précisément parce que vous êtes innocent, et porteur d'un Bien qui vous dépasse, que vous êtes capable de discerner le Mal du premier coup d'œil, et même d'en extraire les plus belles fleurs. Par un décret des puissances suprêmes, vous êtes né dans un monde ennuyé. Votre mère, comme la société, est épouvantée, mais vous pouvez compter, depuis votre berceau, sur l'aide d'un ange.

« Vous n'avez pas honte ?

— Non. »

## ÉVIDENCE

Vous ouvrez les yeux, l'évidence est là. Vous êtes étonné, chaque matin, que votre cœur vous ait conduit aussi loin. Vous auriez dû vous effondrer ou vous égarer cent fois, mais votre ange gardien vous protège, ou plutôt votre « déesse aux yeux pers » (Lisa a des yeux noirs, pas du tout entre bleu et vert). Votre vie est inexplicable sans elle. Elle a pris plusieurs formes et plusieurs noms, mais c'est toujours elle, la souple et inflexible Athéna.

Lisa se moque de moi, quand je lui dis qu'au moindre doute, si j'ouvre Homère, l'inspiration est là, et ne faiblit pas. Au fond, il y a deux livres à ouvrir, et tout le reste s'ensuit : la Bible et Homère. Un bon coup de dépression et de protestation biblique, un coup d'Athéna. On ne s'ennuie pas.

Cette déesse, sortie de la tête de son père, est la fille de l'éveil, du savoir, de la gloire du jour. Pourquoi l'appeler « Tritogénie » ? Les interprétations sont multiples, mais gardons celle d'un dialecte archaïque grec, qui comprend « Trito » comme « Tête ». La voici, tout de suite armée, dans l'Histoire. Elle peut apparaître en homme sage rempli de mémoire, ou en grand aigle des mers. Elle parle, elle prévient, elle prévoit. Le présent lui appartient, et elle a toujours raison, par principe. Elle a une préférence marquée pour un type rusé, fanatique de sa propre identité, et très bon parleur. Lisa ne la voit pas, mais je l'aperçois, moi, quand elle joue, penchée sur sa droite. Elle était là, à côté de Bach, et à côté de Mozart. Elle incarne l'évidence même.

Maintenant, elle se cache, et laisse tourner le disque *mono*, qui conduit à la catastrophe. Elle n'aime plus, de temps en temps, que les rares mortels qui pensent vivement leur mort, comme des combattants de l'impossible. Elle détourne la tête des massacres organisés ou des meurtriers suicidaires. Son silence est alors étourdissant de mépris. Au contraire, tout ce qui avance dans le savoir a sa faveur. Elle aime beaucoup Lisa, qui, un soir, m'a fait la confidence de son testament « s'il lui arrivait quelque chose ». La dispersion de ses cendres, à Égine, dans le temple d'Athéna Aphaia. Elle a ajouté, dans un petit rire : « Évidemment, tu ne viendras pas. J'interdirai d'ailleurs que tu viennes. »

Une femme qui envisage de mourir avant vous, alors qu'elle est nettement plus jeune, vous aime, aucun doute. Ou bien, pourquoi pas, elle se pense immortelle. Ou les deux, ce qui est très bien, quand on sait jouer Bach *à ce point.*

Ici, un peu de haute définition, en ouvrant l'*Iliade* au chant V :

« Athéna laisse couler au sol la magnifique robe qu'elle a faite elle-même, et brodée de ses mains. Puis, ayant endossé la tunique de Zeus, assembleur des nuées, pour le combat qui fait verser des flots de pleurs, elle revêt ses armes. Elle passe l'égide autour de ses épaules, la redoutable égide à franges, où l'on voit, formant une couronne en cercle tout autour, et Panique et Discorde et Vaillance et Poursuite, qui met le froid au cœur, et la tête de la Gorgone, monstre affreux, terrible, épouvantable, attribut merveilleux de Zeus le porte-égide. Sur son front, elle pose un casque à deux cimiers, à quadruple bossette – casque d'or, décoré des guerriers de cent villes. Enfin, mettant le pied sur le char flamboyant, elle saisit sa pique immense, forte et lourde, sous laquelle elle abat en file les héros qui se sont attiré son courroux de déesse au père tout-puissant. »

J'espère que cette superproduction vous a plu. Relisez-la, elle ne livre pas tout de suite ses trésors. Le poète, vous l'avez remarqué, n'insiste pas sur la robe qu'Athéna laisse couler au sol. Elle est donc nue quelques instants, et Hollywood, ici, en ferait des tonnes. Le reste est trop compliqué, et aucun public n'a envie de s'attarder sur ce harnachement guerrier. La Gorgone a, depuis longtemps, épuisé ses effets, et Zeus est mort sur le mont Sinaï, en même temps que les dieux trompeurs de l'Olympe. Vous ne verrez donc pas, dans le film, le sang bleu d'Arès et d'Aphrodite couler de leurs blessures, infligées par des mortels, dans la plaine de Troie. Le bourreau Sanson, place de la Concorde, s'attendait, en guillotinant le roi de droit divin, à voir couler du sang bleu. Il a été rassuré, en constatant qu'il était bien rouge, comme chez tout le monde.

Athéna n'a pas seulement Ulysse comme flirt. Elle a un grand faible pour Diomède, à cause de son courage. Elle lui donne la fureur et l'audace. Regardez-moi ça :

« D'une flamme inlassable, elle fait resplendir son casque. On croirait voir l'éclat de l'astre de l'été, quand il éblouit les yeux de ses rayons, après s'être baigné dans l'eau de l'Océan. Tout semblable est le feu dont elle fait briller sa tête et ses épaules. Au plus fort du combat, la déesse le pousse, là où la mêlée est la plus dense. »

Elle veut qu'il blesse Aphrodite, son éternelle rivale. Il le fait, et le sang bleu coule « au-dessus du poignet ».

Jeanne d'Arc, dans son enfance, a peut-être entendu la voix d'Athéna. L'Église, avant de se raviser et de la canoniser, a bien compris que son inspiration n'était pas d'origine chrétienne. Elle a été brûlée comme sorcière, parmi bien d'autres. Les Français, comme c'est étrange, sont grecs sans le savoir, et ils continuent à se tromper sur ce cas.

# HÉLÈNE

Ce soir, Lisa joue *Le Clavier bien tempéré* à Londres, après-demain à Édimbourg, et puis trois jours après à Dublin. De là, elle prendra l'avion pour La Rochelle, et j'irai la chercher à l'aéroport. Voilà, elle arrive, elle est un peu fatiguée, mais elle va très bien. Les Anglais ont été corrects, les Écossais plus chaleureux, les Irlandais enthousiastes. Il fait beau, je ne vais pas mal, et Athéna veille : il ne nous arrivera rien.

La nuit précédente, j'ai rêvé d'Andromaque. Pas celle de l'*Iliade*, ni celle de Racine, mais celle que j'ai connue quand j'avais 30 ans, à Paris, pendant les émeutes. Une très belle étudiante grecque, blonde aux yeux noirs, avec laquelle je suis encore au soleil, sur les quais de la Seine. On s'embrasse un peu partout depuis des mois, la ville est une fête continuelle. Si le mot « passion » a un sens de souffle, c'est pour elle. On fait l'amour très souvent, je cours pour la retrouver, c'est une ruche, elle est faite de miel.

Nous voici chez elle, assis par terre, devant un feu de cheminée, un jour de neige. Elle prépare un joint avec soin, elle a l'habitude, c'est de l'excellent afghan, noir et profond. Il agit vite, on est pressés de le suivre dans sa roseraie magique. Andromaque, c'est clair, est une suivante d'Aphrodite, « la déesse à la gorge splendide, à la belle poitrine, aux yeux fulgurants ». C'est elle qui a entraîné Hélène dans son aventure extraconjugale, en lui vantant la beauté de Pâris. C'est à elle que Pâris a donné la pomme fatale, la préférant ainsi à Héra et à Athéna. Je suis aux mains d'Aphrodite. Athéna mettra longtemps à se réconcilier avec moi.

Il y a de quoi nourrir sa colère. Sept ans chez Calypso pour Ulysse, trois ans chez Andromaque pour moi. Trois ans de nuits qui n'en finissent pas, rouges et noires. C'est l'époque où j'ai commencé à déraisonner beaucoup, et dans tous les sens, ce que je ne regrette pas. La raison qui n'a pas déraisonné est de peu de poids. L'heure nouvelle est au moins très sévère. La nouvelle raison, comme le nouvel amour, demande une connaissance du délire. Andromaque m'a civilisé. Elle est bientôt repartie en Grèce, mais, comme mon rêve le prouve, elle est là.

Hélène a vite reconnu Ulysse, déguisé en mendiant pour espionner Troie. Elle le recueille, le baigne, l'huile (et la suite), lui faisant avouer le truc du Cheval de bois, et lui jure, par le grand serment des dieux, de ne pas révéler le complot. Ça ne l'empêche pas de tester la résistance des conjurés, en se baladant autour du Cheval où ils se sont enfermés, appelant chacun par son nom, en imitant chaque fois la voix de son épouse lointaine. Ils tiennent bon contre la tentation, leur ruse va gagner la guerre.

Hélène est une Sorcière de très haut niveau. On se bat à mort pour la récupérer, mais nous la retrouvons plus tard chez son mari, Ménélas, qui n'a pas l'air de lui en vouloir de son infidélité, cause de tant de cadavres. Elle est là, elle reconnaît Télémaque, à cause de sa ressemblance frappante avec Ulysse, d'où un récit hallucinant.

Avant de parler, elle jette une drogue dans le vin, une came venue d'Égypte, qui calme la douleur, la colère, et « dissout tous les maux ». Une fois que vous en avez bu, impossible de verser une larme, même si vous avez perdu un père, une mère, un frère ou un fils aimé, égorgés sous vos yeux.

Elle mérite, à ce moment-là, le nom de « fille de Zeus ». Elle fait préparer un lit parfumé pour Télémaque, et, pour la nuit, rejoint, paraît-il, son mari. Est-ce bien sûr ? Ce n'est pas ce que me chuchote Hermès, « le guetteur rayonnant ». Mais qui sait s'il n'a pas pris lui-même de *l'afghan* ?

Zeus, quand il s'exprime, emploie souvent des « paroles ailées ». Le voici qui demande à sa fille Athéna de secourir Achille qui veut se laisser mourir de faim après la mort de Patrocle. Elle obéit aussitôt :

« Sous les traits d'un faucon qui pousse de grands cris, les ailes déployées, elle verse sur la poitrine d'Achille le nectar et l'ambroisie, protégeant ses genoux de la faim cruelle. »

N'oublions pas qu'Achille, même immobile ou replié sous sa tente, reste « l'inlassable coureur aux pieds infatigables », dans le style, plus tard, d'un jeune homme aux semelles de vent.

Toutes ces histoires ont été composées et chantées entre 850 et 750 ans avant notre ère. Pourquoi sont-elles si prenantes, si fraîches, si actuelles, quand des milliers de livres se bousculent dans le néant ? Je cherche à la bougie une Andromaque, une Hélène. Je trouve Lisa.

Je sauve la Juliette de Sade, la mère de Bataille, la Molly de Céline.

Céline, médecin lucide et prophétique :

« Après tout, quand l'égoïsme nous lâche un peu, quand le temps d'en finir est venu, en fait de souvenir, on ne garde au cœur que celui des femmes qui aimaient vraiment un peu les hommes, pas seulement un seul, mais tous. »

Ne cherchez pas : si elles existent encore, malgré un tir de barrage sans précédent, elles vous trouveront.

Ainsi de l'inoubliable Sophie du *Voyage au bout de la nuit* :

« Une nature excellente, pas protestante pour un sou, et qui ne cherchait à diminuer en rien les occasions de la vie, qui ne s'en méfiait pas par principe. Tout à fait mon genre. »

## SERPENT

Les sociétés changent de peau, comme les serpents, mais le venin reste le même, et il y a seulement des mutations dans la desquamation. Tous les serpents ne sont pas venimeux, mais ils n'en sont parfois que plus dangereux. Voici un bel assemblage de cobras, de crotales, de pythons, d'anacondas, de vipères, un grouillement de reptation à l'affût. Si vous n'êtes pas piqué, étouffé, ingurgité, on vous fera avaler des couleuvres. Le Serpent vient de loin, et il rampe loin.

Ici, vous êtes convié au grand Spectacle biblique. Pourquoi le Serpent originel, le plus rusé et le plus nu des animaux, a-t-il été créé par Dieu et toléré au paradis terrestre ? Pourquoi lui est-il permis de séduire Ève, avec cette pomme à dormir debout ? Adam est un con, soit, mais enfin il aurait dû se méfier de cette femme qui n'arrêtait pas de parler au téléphone avec un serpent, que Dieu, malin, avait mis sur écoutes. Quoi qu'il en soit, drame, chute, malédiction, expulsion, et Dieu, en génial hypocrite, n'a plus qu'à faire l'innocent.

C'est le Livre de Job qui vous renseigne un peu sur cette ténébreuse affaire. Le Serpent s'appelle maintenant Satan, c'est-à-dire l'Adversaire ou l'Accusateur. Nous observons que les « Fils de Dieu » (les anges) se présentent devant Dieu, et que Satan est là pour une fois. Dieu, comme s'il ne savait pas tout, lui demande d'où il vient. L'autre, toujours désinvolte, lui répond : « J'ai été rôder sur la terre et y flâner. » Vous avez bien lu : l'ennemi principal de Dieu a le droit de se balader incognito dans le monde terrestre, et d'y recueillir des informations qu'il transmet à Dieu. Satan est l'« indic » de Dieu.

Là-dessus, nos deux complices signent un contrat. Satan veut démontrer à Dieu que Job ne croit en lui qu'à cause de ses propres intérêts, mais que, sitôt ruiné et malade, il enverra Dieu au Diable. D'accord, dit Dieu, l'expérience m'intéresse, tous les biens de Job sont en ton pouvoir, mais évite quand même de le faire mourir (c'est très gentil de sa part). Vous connaissez la suite : échec du Serpent, victoire de Dieu. La superproduction, déjà interminable, peut se poursuivre.

Le grand spécialiste du Diable, c'est Jean. Il commence par là, il finit par là. Les formules qu'il emploie à propos de Satan sont célèbres : « homicide dès le commencement », « menteur et père du mensonge ». Jean n'hésite pas à dire aux juifs incrédules, qui veulent tuer son héros (c'est-à-dire Jésus), que le Diable est leur « père ». Ça jette un froid.

' *L'Apocalypse* se déchaîne : Satan est devenu un Dragon, il a, dans son sillage, une Bête et un faux prophète. Il lève une immense armée contre Dieu, mais est enfermé pour mille ans dans l'Abîme. Après mille ans sous les verrous, il est relaxé. Plus que jamais radicalisé en prison, il finit quand même par être jeté, avec ses sinistres comparses, dans « l'étang de soufre », où son supplice va durer éternellement jour et nuit. La Mort et l'Hadès subissent le même sort, ce que Jean, toujours mystérieux, appelle « la seconde mort ». Fin du film, descente éblouissante de la Jérusalem céleste.

Fin du film ? Mais non, puisque Paul rebondit, avec un long-métrage de toute beauté. Tiens, nous sommes en Grèce, à Thessalonique. La deuxième épître aux Thessaloniciens insiste, comme Jean, sur le fait qu'une énorme apostasie doit précéder la fin du monde :

195

« Il va se révéler l'Homme impie, l'Être perdu, l'Adversaire, celui qui s'élève au-dessus de tout ce qui porte le nom de Dieu ou reçoit son culte, allant jusqu'à s'asseoir en personne dans le Sanctuaire de Dieu, se produisant lui-même comme Dieu. »

Paul est très clair : Satan est surpuissant, et multiplie les signes et les prodiges. Pour l'instant, il est « retenu », mais, dès aujourd'hui, « le mystère de l'iniquité » est à l'œuvre. Pourquoi « mystère » ? Il faut le demander à Dieu.

Au passage, dans son affirmation incessante de la résurrection des corps (sans quoi, dit-il lui-même, tout ce qu'il raconte est absurde), Paul lâche une formule extraordinaire. Les autres mourront et ressusciteront (pour être jugés), mais « nous », nous serons transformés en corps « spirituels ». Excellente nouvelle : la mort est vaincue, nous sommes déjà célestes.

Aucun doute : Lisa, jouant Bach au piano, est un corps spirituel. Pendant que Bach écrit, Jean, depuis Patmos, vient planer sur lui, et Paul, à Éphèse, prêche la Largeur, la Longueur, la Hauteur et la Profondeur. Est-il entré, Paul, dans le temple d'Artémis ? Aurait-il pu discuter, autrefois, avec Héraclite ? Ces questions ont l'air absurdes, mais la désagrégation générale les permet. Je ne vais pas essayer de convaincre des amateurs de jeux vidéo qu'ils sont « célestes », et qu'ils ont une âme. Je ne vais pas non plus parler aux enfants du Diable et de l'Enfer (ça les effraierait), ni de la résurrection des corps (toutes les mères s'y opposent). Je n'ai pas envie de me retrouver dans la biographie de Paul, qu'il évoque ainsi dans sa Deuxième épître aux Corinthiens :

« Souvent, j'ai été à la mort. Cinq fois, j'ai reçu des juifs les trente-neuf coups de fouet, trois fois j'ai été battu de verges, une fois lapidé, trois fois j'ai fait naufrage. Il m'est arrivé de passer un jour et une nuit dans l'abîme. Voyages sans nombre, danger des rivières, danger des brigands, danger de mes compatriotes, danger des païens, dangers de la ville, dangers du désert, danger des faux frères. Labeur et fatigue, veilles fréquentes, faim et soif, jeûnes répétés, froid et nudité… »

Paul arrive et commence à parler : personne ne lève la tête de son smartphone.

# DÉCALAGE

La beauté est toujours bizarre. On l'attendait, et elle n'est pas là. On ne l'attendait pas, la voilà.

Jean Genet a 33 ans, quand il écrit *Miracle de la rose*, en 1943, à Paris, à la prison de la Santé-Prison des Tourelles. C'est un chef-d'œuvre étonnant, peut-être ce qu'il a écrit de plus beau. Les personnages d'Harcamone, de Divers, de Villeroy, de Bulkaen sont inoubliables. La vie carcérale, avec ses rituels, ses signaux, ses passions physiques, son argot, ses tatouages, sa respiration mystique, est d'une précision et d'une force inattendues. Le monde s'écroule au-dehors, mais la prison est une nouvelle cathédrale. Le sacrement suprême est la guillotine, qui transforme le condamné en saint. Les damnés sont des anges, et toute une hiérarchie d'élus, avec ses codes, monte à l'autel de l'échafaud.

Genet, placé très jeune en maison de correction (le fameux Mettray), dispose, comme

Villon, d'un corps ultra-sensible, en alerte sur chaque détail. C'est un virtuose de la masturbation, de la sodomie, du vol, de la dissimulation, du silence :

« En cellule, les gestes peuvent se faire sur une extrême lenteur. Entre chacun d'eux, on peut s'arrêter. On est maître du temps et de sa pensée. On est fort d'être lent. Chaque geste s'infléchit selon une courbe grave, on hésite, on choisit. Voilà de quoi est fait le luxe de la vie en cellule. Mais cette lenteur dans le geste est une lenteur qui va vite. Elle se précipite. L'éternité afflue dans la courbe d'un geste. On possède toute sa cellule parce qu'on en remplit tout l'espace avec la conscience attentive. Quel luxe d'accomplir chaque geste avec lenteur, même si la gravité ne réside pas en elle. »

Et voici la beauté elle-même :

« Je vis son visage éclairé par la verrière du toit de la prison. Une sorte de paix m'envahit, c'est-à-dire que je me sentis fort de sa beauté qui pénétrait en moi. J'étais sans doute en état d'adoration. J'ai usé du mot pénétrer. Je tiens à ce mot : sa beauté pénétrait en moi par les pieds, montait dans mes jambes, dans mon corps, dans ma tête, s'épanouissait sur mon visage, et je compris que j'avais tort de donner à Bulkaen cette douceur qu'elle mettait en moi, cet abandon de mes forces qui me laissait sans défense en face de l'œuvre trop belle, car cette beauté était en moi et non en lui. Elle était hors de lui, puisqu'elle était sur son visage, dans ses traits, sur son corps. Il ne pouvait jouir du charme qu'elle me causait. »

Racine n'a pas fait mieux, et Homère non plus :

« Chaque détail particulier : le sourire de la bouche, l'éclat de l'œil, la douceur, la pâleur de la peau, la dureté des dents, l'étoile à l'intersection de quelques traits me décochaient au cœur une flèche qui, chaque fois, me causait une mort délicieuse. Mais lui, c'était l'archer qui bandait. Il bandait l'arc et tirait. Il ne tirait pas sur lui mais sur moi. »

Voilà ce qui avait lieu en France, en prison, du temps d'un désastre historique. Au même moment, le seul rival sérieux de Genet, Céline, va passer des mois dans le quartier des condamnés à mort, au Danemark. Difficile de faire plus différents que Genet et Céline, mais la langue française comprend tout et résiste à tout.

Pas la moindre femme, chez Genet, bien sûr, il prend toute la place. Ses imitateurs sont nombreux, mais sont loin d'avoir son élégance et son charme. Les plus doués recourent à la drogue, et on en a vu certains se vautrer dans une désarticulation du langage prostitutionnel. La misère et la difformité les attirent. Genet, lui, poursuit ses apparitions de beauté, ses criminels sont des dieux sans déesses. On n'imagine pas Athéna se soucier de *Notre-Dame-des-Fleurs,* pas plus que de bacchanales homosexuelles ou autres. C'est une déesse très stricte, elle s'éclipse dès qu'il y a lourdeur.

# SÉDUCTION

Héra, on s'en souvient, est à la fois la sœur et la femme légitime de Zeus, situation courante à l'époque des pharaons d'Égypte. Vous voyez d'ici la situation : Zeus a des aventures multiples avec des mortelles, il est subjugué par sa fille Athéna, Héra est le plus souvent de mauvaise humeur, d'autant plus que Zeus favorise plutôt les Troyens que les Grecs. Elle décide donc d'agir, et de se livrer à une séduction de tous les diables. Tromper Dieu n'est pas une petite affaire : il sait tout, il voit tout, il entend tout.

Héra va dans sa chambre dont elle est seule à avoir la clé. Elle se lave à l'ambroisie, s'enduit d'huile parfumée, se peigne soigneusement, et enfile une robe aux mille broderies, conçue par Athéna, avec des agrafes d'or. Elle s'entoure d'une ceinture à cent franges, attache à ses oreilles percées des pendentifs à trois chatons, puis se couvre la tête d'un voile blanc comme le soleil, et met ses belles sandales. On se croirait à Cnossos, dans la fresque des *Dames en bleu*.

Ça ne suffit pas, il faut le concours d'Aphrodite. Celle-ci lui donne un ruban qui contient tous les charmes, « là où sont désir, tendresse et propos amoureux, qui séduisent le cœur et trompent les plus sages ». Héra le cache entre ses seins, elle sera invincible.

Ça ne suffit pourtant pas. Héra va trouver le puissant Sommeil, « frère de Trépas », et lui demande d'endormir Zeus. L'autre est épouvanté, c'est impossible, et beaucoup trop dangereux. Allons, allons, il a son côté humain, on va lui donner une « Grâce » qu'il convoite depuis longtemps. Grand serment sur le Styx, le marché est conclu. Ils avancent rapidement tous les deux, enveloppés d'un brouillard. Ils atteignent le mont Ida, où Zeus s'est retranché, Sommeil prend la forme d'un oiseau, et se perche sur un sapin gigantesque. Héra monte vers Zeus, qui, en la voyant, est saisi d'amour, « un amour aussi fort que celui de jadis, au jour où tous les deux, pour la première fois, s'unirent dans un lit à l'insu des parents ». C'est un frère, ici, qui fait l'amour avec sa sœur, mais comme cette sœur est aussi sa femme, il lui énumère ses passions pour mieux l'exciter.

Zeus est un amoureux épatant : il suscite un grand nuage d'or qui les rend tous les deux invisibles, et fait naître sous eux une herbe tendre, « où se mêlent safran, jacinthe et frais lotus ». La ruse a réussi, le ruban d'Aphrodite a fait merveille, Sommeil a répandu son narcotique, Dieu jouit et s'endort.

Il va se fâcher très fort, Dieu, à son réveil. Les Grecs ont profité de sa torpeur pour enfoncer les lignes troyennes, avec le concours de Poséidon (lui-même frère de Héra et aussi son beau-frère). Voilà une petite querelle de famille chez les Immortels, pendant que, dans la plaine, les mortels tombent en masse. On peut difficilement faire plus immoral.

Les dieux sont très libidineux et criminels quand ça leur chante, mais aussi extrêmement jaloux quand une déesse s'avise d'avoir une liaison physique avec un mortel. Calypso, dans son Île de la Cachette, où elle retient voluptueusement Ulysse, en fait l'expérience. Cela fait sept ans qu'il vit avec elle dans le plus grand luxe, elle veut le garder en lui promettant l'immortalité. Lui, il en a marre. « La nuit, il fallait bien qu'il rentre auprès d'elle, mais il n'aurait pas voulu, c'est elle qui voulait ! » Séduire à ce point une nymphe divine, lorsqu'on est un mortel, laisse rêveur. Cependant, l'ordre de Zeus (inspiré par Athéna qui n'en peut plus de jalousie) est formel. Calypso, navrée, renvoie Ulysse sur un radeau. Il va en voir de toutes les couleurs.

Sept ans chez Calypso, c'est long. Chez la redoutable Circé, qui a changé les marins d'Ulysse en porcs, c'est plus court, une saison au paradis, automne et hiver. Les marins sont délivrés par Ulysse, qui a pris soin de prendre une drogue, fournie par Hermès, pour échapper à la baguette fatale de la déesse. Il couche avec elle, et c'est la vie de château ; festins, vin, viandes et amour. Qui est la plus séduisante et la plus experte ? Calypso ou Circé ? J'hésite.

Je veux bien faire semblant de croire que Nausicaa, comme Athéna, reste vierge avec Ulysse. Quant à la nuit de Zeus et de Héra, je préfère m'arrêter, c'est trop ignoble. Je garde aussi le secret sur la scène d'amour entre Athéna et Ulysse, ni vus ni connus, sous l'olivier sacré, près de la grotte sacrée, à Ithaque. Ils appellent ça « tenir conseil », c'est parfait.

# OR

Un champion olympique actuel s'entraîne pendant quatre ans, pour un seul jour de compétition, avec échec ou médaille d'or. Matin et soir, éveillé ou dormant, il pense sans arrêt au moindre geste qui peut s'avérer décisif, à la nage, au saut en longueur, au javelot, au cent mètres, au sabre. Il n'a aucune idée de ce qu'a pu écrire Pindare, ce poète couvert d'or de l'Antiquité. S'il y avait des médailles d'or en musique, Bach et Mozart ne sauraient plus où les mettre. Lisa en a déjà une dizaine. Elle m'en donne une, venant de Tokyo.

Dans sa VII$^e$ *Olympique*, Pindare écrit ceci :
« Zeus envoya aux Rhodiens une blonde nuée qui laissa échapper une abondante pluie d'or, et la déesse aux yeux glauques, Athéna, leur accorda elle-même de l'emporter dans tous les arts sur tous les autres hommes. »

Rhodes est une île de la mer Égée. Il est incompréhensible que le mot « glauque » (qui signifie entre le bleu et le vert, comme l'eau de la mer) ait pris, dans le langage courant, un sens négatif, impliquant le trafic et la corruption. Les admirables yeux « glauques » d'Athéna sont l'équivalent de ses yeux « pers » (mais plus personne ne connaît ce mot). Trouver ces yeux troubles ou mensongers, à cause de leur couleur, est une grossière erreur de mammifères terrestres.

Une pluie d'or, c'est tout à fait le style de Zeus, qui en fait tomber une sur la ravissante Danaé, mère de Persée, le trancheur de la terrifiante Méduse. Il en va tout autrement pour les Hébreux, qui, dans le désert, n'ont droit qu'à de l'eau surgie d'un rocher et à un parachutage de manne. Mais voici une question d'or, la stupéfiante histoire du Veau d'or.

Moïse est, depuis quarante jours, dans la montagne pour rencontrer Dieu. En bas, le peuple commence à murmurer, et à réclamer un Dieu concret et solide. Aaron se saisit de l'occasion et dit :

« Enlevez les anneaux d'or qui sont aux oreilles de vos femmes, de vos fils et de vos filles, et apportez-les-moi. »

Vous êtes ahuri. Ce peuple, plutôt dur d'oreille et à la nuque raide, se baladait donc dans le désert, paré d'or, mâles et femelles. Vous voyez le travail pour fondre cette masse métallique brillante pour fabriquer un Veau d'or, et le décréter (abomination) « Dieu d'Israël ». Yahvé est furieux, et Moïse, très en colère, brise les Tables de pierre, écrites par Dieu lui-même sur la montagne. Il descend vers le peuple devenu fou, brûle le Veau d'or, le réduit en poudre, et en saupoudre la surface de l'eau potable, conservée à part, et fait boire cette potion de malédiction à tout le monde. Après quoi, il ordonne de tuer trois mille hommes. Dieu s'apaise, et consent à réécrire ses Tables déposées dans l'Arche d'Alliance, à laquelle il faut maintenant un toit.

C'est la construction du Temple de Salomon, 480 ans après la sortie d'Égypte. Les travaux vont durer 7 ans. Mais, là, il faut faire appel à des artistes étrangers, les Libanais de Hiram, roi de Tyr, mystérieusement assassiné par la suite (j'ai mon idée là-dessus, mais chut). J'aime particulièrement les Chérubins en bois d'olivier sauvage recouverts d'or, la Mer de bronze, et surtout les deux colonnes intérieures, Yakin à droite, Boaz à gauche. Voici donc le « Débir », le Saint des Saints, où l'Arche trouve enfin sa place. On sacrifie des monceaux de moutons et de bœufs, le Veau d'or est oublié, Dieu, dans sa nuée, envahit son temple.

Les Romains, en 70 de notre ère, n'ont eu qu'à se servir, avant de raser cette construction dont on parle toujours. Le butin est considérable : bassins, vases à cendres, bois à aspersion, chandeliers, lampes, fleurons, mouchettes, coupes, encensoirs – des kilos d'or transportés à Rome. Dieu va se civiliser à toute allure : plus d'égorgements d'animaux, on l'adore en esprit et en vérité. Les effets seront gigantesques.

Je repense à Calypso dans son île embaumée par les cèdres et les thuyas. La voici, près d'un foyer au grand feu, en train de chanter et de tisser sur sa navette d'or. Autour de sa caverne, vous trouvez des aulnes, des peupliers, des cyprès pleins d'oiseaux du large, chouettes, éperviers, corneilles. Ajoutez une vigne fleurie de grappes, et quatre sources claires, avec des prairies couvertes de persil et de violettes, et vous avez un séjour d'immortalité. Mais, que voulez-vous, Ulysse est un marin, et, même sur une navette d'or, il n'a pas envie de se faire *tisser*. Il préfère sa mortelle Pénélope, qui, en l'attendant, pour échapper à ses prétendants, n'arrête pas de tisser et de détisser sa Toile.

Beaucoup plus tard, à Égine, Athéna repère vite une petite fille sauvage. C'est une brune aux yeux vifs, elle aime venir jouer, seule, dans le temple de l'Invisible. Cette gamine est de l'or, c'est une musicienne-née. La déesse la prend sous sa protection, et prévient, en rêve, ses parents musiciens pour qu'ils l'encouragent.

À partir de là, malgré l'époque infernale, Lisa progresse, s'envole, gagne tous les concours, est vite classée « prodige », et sourit maintenant, quand je lui dis qu'elle doit tout à Athéna. Elle sait que je suis fou, mais j'ai mon charme.

## ÉTRANGER

L'expérience consiste à tout voir pour la première fois. Je demande à Lisa si c'est bien de cette façon qu'elle aborde une partition, qu'elle a déjà jouée pendant des heures, et sa réponse est immédiate : *c'est toujours la première fois.* Voilà un entraînement spécial, n'importe où, n'importe quand, à propos de n'importe quoi. On se met en état d'étrangeté maximale, on vient de débarquer, et d'avoir un corps. Les formes et les couleurs s'annoncent et se prononcent. C'est la première fois que le monde existe. L'Histoire s'efface dans les faits divers.

Les anciens Grecs avaient le plus grand respect pour l'Étranger de passage. On le lave et on le fait manger, avant de lui demander son nom et sa provenance. C'est à cette coutume, voulue par les dieux, que « l'homme aux mille tours » doit la vie sauve. Il y a toujours une Nausicaa quelque part. Pas besoin qu'elle soit vierge, il suffit qu'elle décide, malgré ses expériences, que vous appartenez à la dimension « première fois ».

Hölderlin, à Bordeaux, en 1802, a eu cette chance. « Frappé par Apollon » (comme il le dit avec le plus grand naturel), tout lui apparaît pour la première fois. Il n'y a que ses compatriotes allemands, chez qui il est obligé d'habiter, qui le gênent. Il écoute à peine leurs réflexions réactionnaires idiotes. Les indigènes, en revanche, sont charmants et révolutionnaires, surtout les femmes. Il se balade dans cette ville splendide, entend de la musique sortant d'une fenêtre ouverte, entre, et trouve une belle jeune femme brune au piano. Elle est divine, et elle le reconnaît aussitôt. L'*Odyssée*, au chant V, est formelle : « Jamais deux Immortels ne peuvent s'ignorer, quelque loin que l'un d'eux puisse habiter de l'autre. »

Finalement, Hölderlin a raison : il est bien arrivé en Grèce, par-dessus la géographie, la chronologie, les identités d'apparence. Bien qu'étranger, il se sent autochtone, il a confiance dans les fleuves, l'océan, le vent du nord-est. Mais aujourd'hui, renversement du temps, il se sent plus que jamais étranger dans son pays d'élection. Je l'invite à dîner, il me parlera plus tard, de Homère, de Pindare, d'Empédocle, de

Sophocle. On a tout le temps, le feu brûle dans la cheminée, le vin est exquis. Lisa, gentiment, jouera une transcription d'un air de l'*Idoménée* de Mozart. Idoménée ! Le chef des Crétois ! le petit-fils de Minos ! Le frère d'Ulysse !

Et voici Hölderlin qui se met à déclamer un passage du chant XIII de l'*Iliade* :

« Idoménée arrive à sa belle demeure. En hâte, il se revêt de ses splendides armes. Il prend deux javelots, puis se remet en route. Il ressemble à l'éclair que le fils de Cronos saisit à pleine main, et qu'il brandit du haut de l'Olympe éclatant, lorsqu'il veut aux mortels faire apparaître un signe – et de l'éclair jaillit l'éblouissante flamme. Ainsi brille le bronze entourant la poitrine du héros Idoménée, en pleine course. »

Inutile de dire qu'on est très émus, comme des étrangers, qui, dans la clandestinité, trame-raient un complot dangereux et incompréhen-sible. Je vois que Hölderlin met sa main droite devant ses yeux pour cacher ses larmes. Lisa, de façon tout à fait sincère, lève son verre à Athéna. Elle commence à jouer, mais Hölderlin veut d'abord porter un toast à Minos, qui rend la justice aux enfers. Zeus, tous les neuf ans, le prend comme confident. Leurs dialogues nous manquent.

## IRIS

Les dieux communiquent instantanément quand ils veulent. Voyez ce bel arc-en-ciel en mouvement : c'est Iris avec son écharpe. Ses pieds sont rapides comme le vent, elle prend la forme de son choix, elle prévient, elle menace. Messagère de Zeus, aucun dieu ne peut lui faire peur. Les trois fils de Cronos ont chacun leur royaume, la mer blanche d'écume pour Poséidon, les brumeuses ténèbres pour Hadès, l'éther et les nuages pour Zeus, l'aîné des trois, qui commande.

Il n'y a pas que la foudre par très beau temps, pour manifester la présence de Zeus. Quelques aventuriers ont pu voir en cercle, au-dessus d'eux, trois couronnes d'arc-en-ciel, phénomène très rare. Là, c'est l'ivresse d'Iris. À chacun de déchiffrer ce qu'elle dit. La meilleure des nouvelles, en tout cas, mais laquelle ?

La rupture du christianisme avec la Nature a fini par être étouffante, et a provoqué quelques réactions brillantes. Voici, par exemple, un poète et un musicien se mettant d'accord pour célébrer l'après-midi d'un Faune. C'est sinueux, ondulant, buissonnier, et le Faune, un peu tarabiscoté, nous confie qu'il a « divisé les touffes traîtresses » des Nymphes, et qu'il est allé « cacher un rire ardent, sous les replis heureux d'une seule ». On s'y croirait. Malheureusement, toutes ces fêtes galantes vont partir en fumée.

Iris, dans les ruines de l'Europe, apparaît à Webern. Elle lui donne l'ordre d'évoquer le fantôme de Bach, son art de la fugue et son offrande musicale. Mission impossible, tout s'y oppose, et s'y opposera de plus en plus. Tant pis, il faut essayer quand même, simplifier, creuser, trouver le fond des notes. Webern se sent le successeur de Schliemann, le découvreur des ruines de Troie et de Mycènes. À Troie, ce sont neuf couches archéologiques superposées à partir du IV$^e$ millénaire, et, à Mycènes, la nécropole appelée « Cercle royal ». La découverte est fabuleuse : ce qui vient de très loin est là tout près. Le passé brille comme jamais. Vous avez toute une vie, et cinq minutes douze secondes, pour le comprendre.

Iris, avec l'index de sa main droite sur sa bouche, se pose sur l'acacia devant moi. C'est un simple rayon de soleil, mais c'est elle. Elle sort des mystères isiaques (rien à voir avec ceux de la sinistre Déméter à Éleusis). Isis, sœur et femme d'Osiris, mère de Horus, nous est sans cesse résumée, de façon très fade, comme le type de l'épouse et de la mère idéales. On préfère oublier la mort et la résurrection d'Osiris, ce dieu sauveur. Iris se glisse pourtant, très reconnaissable, dans la figure et le culte de la Vierge Marie. Elle n'est pas du tout vierge, et j'aimerais avoir près de moi le magique bois peint de la XIᵉ dynastie, avec son geste de bénédiction d'une délicatesse puissante. Pourquoi ne serais-je pas, cinq minutes douze secondes, son fils Horus, faucon ou soleil ailé ?

À l'heure où j'écris ces lignes, la Terre compte 7,4 milliards d'habitants humains, et ils seront 8,5 milliards en 2030. On peut comptabiliser 173 000 morts par jour et 400 000 naissances. Curieusement, les catholiques sont en légère progression, avec, pour l'instant, 1,250 milliard de fidèles. Ils sont déjà dépassés, et le seront de plus en plus, par les musulmans, qui en sont à 1,6 milliard.

Zeus trouve qu'il y a trop de monde, et se tait. Yahvé a pris soin de se séparer de cette inondation génétique. Athéna en est encore à reprocher à Zeus d'avoir accepté de se travestir en

Jupiter, conséquence, selon elle, de la victoire des Troyens à travers Énée. C'est à Rome qu'elle aimerait séjourner, pas dans cette ville insupportable d'Athènes. Les catholiques lui plaisent davantage que les « chrétiens » avec leurs divisions internes. Elle n'aime pas l'Inde et préfère la Chine, fuit le bouddhisme et l'islam, se repose, sans être vue, en Italie ou en France. En France, grâce à Apollon, elle a découvert le Sud-Ouest. Elle ne connaît ni le bruit, ni l'ennui, ni la fatigue. Elle consent parfois à exaucer un vœu, mais il faut que la prière qui lui est adressée soit particulièrement fervente.

Je prie pour la beauté et les doigts de Lisa. Elle joue à Paris ce soir.

## CLANDESTINITÉ

Je me rends compte que ma liaison avec Lisa m'a coupé de presque tous mes rapports sociaux. Tout m'ennuie, sauf elle. La musique s'est infiltrée dans le moindre moment, et chaque événement réclame une attention extrême. Je fréquente de préférence les parcs, les squares, les jardins. Je guette les répétitions à venir, les nouveaux enregistrements, les prochains concerts. Mon corps est un instrument qui comprend de mieux en mieux la bénédiction du silence.

Un quart d'heure de musique, deux heures de silence. À ma droite, sur une table basse, des piles de CD. Il y en a pour des mois et des années. Impossible de tout mémoriser de façon précise, pas plus que le mouvement de la Nature, inépuisable et sans effort. La mémoire de Lisa, elle, est phénoménale. L'expression « savoir par cœur » prend alors son sens.

Les conversations glissent sur moi sans m'atteindre, ma vue et mes tympans sont ailleurs. Des voix et des gestes saccadés m'environnent, des opinions défilent, des clichés prolifèrent, de pauvres mots d'esprit et des rires se perdent dans le brouhaha.

Je rentre, j'allume la musique, je l'éteins, je dors. C'est bientôt la nuit, une autre façon de veiller, en s'enroulant dans les rêves. En société, personne ne remarque rien, c'est drôle. Pour certains, j'ai eu un passé fâcheux et répréhensible, ils attendent que je m'explique ou me justifie. Ce sont les meilleurs témoins, et je m'en tire avec quelques plaisanteries. Les autres s'en foutent.

Je récite à Lisa ces vers de jeunesse de Joyce dans *Chamber Music* :
« Celui que la gloire a déserté,
Qui n'a pas trouvé d'âme pour le suivre,
Qui n'a que mépris et colère pour ses ennemis,
Et ne jure que par l'ancienne noblesse,
Celui-là, solitaire et considérable,
A son amour pour compagnon. »

Je supprime « mépris », « colère », et « considérable », la musique ayant effacé ce genre de réactions. Je pourrais ajouter Villon : « En mon pays suis en terre lointaine », ou encore : « Il n'est de bien avisé qu'amoureux. » Mais non, je marche à l'étoile. Fais ce que dois, advienne que pourra. Attends et tais-toi.

Si tu attends comme il faut, les choses viendront à toi d'elles-mêmes, elles ne peuvent pas faire autrement. Tu les connais, tu leur donnes leurs noms, elles sont soulagées d'en avoir un, elles respirent. Même sous des kilomètres de béton, elles se souviennent de leur âge d'or, et du pur esprit qui s'accroît sous l'écorce des pierres. Là, les fleurs parlent, le bois résonne, les rochers dansent, le bronze et le fer s'activent, il y a des rivières de miel, le lion et l'agneau reposent ensemble. Le vent, dans les feuillages, porte des messages, que les oiseaux traduisent jusque dans les montagnes. Les fleuves connaissent l'océan dès leur source, la beauté est gratuite. Tout cela reviendra un jour.

Pour l'instant, le déferlement nihiliste se fait plus violent chaque jour, sa marque principale étant la *laideur*, comme Nietzsche l'a vue venir, il y a 130 ans :

« L'œil du nihiliste *idéalise en laid*, il est infidèle à ses souvenirs. Il les laisse tomber, s'effeuiller, il ne les protège pas contre cette décoloration livide que verse la faiblesse sur les choses lointaines et passées. Et ce qu'il néglige de faire envers lui-même, il ne le fait pas non plus envers tout le passé de l'humanité : il le laisse tomber. »

Quand il ne la détruit pas, ou ne la falsifie pas, le nihiliste, c'est-à-dire presque tout le monde, laisse tomber la beauté.

# INFINI

*Les Principes du Calcul infinitésimal*, de René Guénon, ont été publiés d'abord en 1946, et réédités en 2016. C'est un livre d'une clarté magistrale sur la confusion philosophique entre Infini métaphysique et indéfini mathématique. La différence entre quantité et qualité s'accomplit par un passage à la limite dans une intégration supérieure. Invisible et imperceptible, ce calcul se poursuit sous le règne de la Quantité, dans lequel la Qualité se fait de plus en plus rare. C'est, comme malgré moi, ce qui a voulu se chiffrer ici.

# DU MÊME AUTEUR

*Aux Éditions Gallimard*

FEMMES, *roman*, 1983 (Folio n° 1620).

PORTRAIT DU JOUEUR, *roman*, 1985 (Folio n° 1786).

THÉORIE DES EXCEPTIONS, 1986 (Folio Essais n° 28).

PARADIS II, *roman*, 1986 (Folio n° 2759).

LE CŒUR ABSOLU, *roman*, 1987 (Folio n° 2013).

LES FOLIES FRANÇAISES, *roman*, 1988 (Folio n° 2201).

LE LYS D'OR, *roman*, 1989 (Folio n° 2279).

LA FÊTE À VENISE, *roman*, 1991 (Folio n° 2463).

IMPROVISATIONS, *essai*, 1991 (Folio Essais n° 165).

LE RIRE DE ROME. Entretiens avec Frans De Haes, 1992 (L'Infini).

LE SECRET, *roman*, 1992 (Folio n° 2687).

LA GUERRE DU GOÛT, *essai*, 1994 (Folio n° 2880).

SADE CONTRE L'ÊTRE SUPRÊME, *précédé de* SADE DANS LE TEMPS (Quai Voltaire, 1989), 1996 (Folio n° 5841).

STUDIO, *roman*, 1997 (Folio n° 3168).

PASSION FIXE, *roman*, 2000 (Folio n° 3566).

ÉLOGE DE L'INFINI, *essai*, 2001 (Folio n° 3806).

LIBERTÉ DU XVIIIème, *textes extraits de* La Guerre du Goût, 2002 (Folio 2 € n° 3756).

L'ÉTOILE DES AMANTS, *roman*, 2002 (Folio n° 4120).

POKER. Entretiens avec la revue *Ligne de risque*, 2005 (L'Infini).

UNE VIE DIVINE, *roman*, 2006 (Folio n° 4533).

LES VOYAGEURS DU TEMPS, *roman*, 2009 (Folio n° 5182).

DISCOURS PARFAIT, *essai*, 2010 (Folio n° 5344).

TRÉSOR D'AMOUR, *roman*, 2011 (Folio n° 5485).

L'ÉCLAIRCIE, *roman*, 2012 (Folio n° 5605).

FUGUES, *essai*, 2012 (Folio n° 5697).

MÉDIUM, *roman*, 2014 (Folio n° 5993).

L'ÉCOLE DU MYSTÈRE, *roman*, 2015 (Folio n° 6282).

MOUVEMENT, *roman*, 2016 (Folio n° 6457).

COMPLOTS, *essai*, 2016.

BEAUTÉ, *roman*, 2017 (Folio n° 6545).

LETTRES À DOMINIQUE ROLIN 1958-1980, édition établie, présentée et annotée par Frans De Haes, 2017.

CENTRE, *roman*, 2018.

*Dans les collections « L'Art et l'Écrivain » ; « Livres d'art » et « Monographies »*

RODIN. Dessins érotiques, 1987, réédition 2017.

LES SURPRISES DE FRAGONARD, 1987, réédition 2015.

LE PARADIS DE CÉZANNE, 1995.

LES PASSIONS DE FRANCIS BACON, 1996.

*Dans la collection « À voix haute » (CD audio)*

LA PAROLE DE RIMBAUD, 1999.

### Aux Éditions Flammarion

PORTRAITS DE FEMMES, *roman*, 2013 (Folio n° 5842).

LITTÉRATURE ET POLITIQUE, *essai*, 2014.

DICTIONNAIRE AMOUREUX DE VENISE, version illustrée, en coédition avec les Éditions Plon, 2014.

### Aux Éditions Fayard

*Avec Julia Kristeva*, DU MARIAGE CONSIDÉRÉ COMME UN DES BEAUX-ARTS, 2015.

### Aux Éditions du Seuil

UNE CURIEUSE SOLITUDE, *roman*, 1958 (Points-romans n° 185).

LE PARC, *roman*, 1961 (Points-romans n° 28).

L'INTERMÉDIAIRE, *essai*, 1963.

DRAME, *roman*, 1965 (L'Imaginaire n° 227).

NOMBRES, *roman*, 1968 (L'Imaginaire n° 425).

LOGIQUES, *essai*, 1968.

L'ÉCRITURE ET L'EXPÉRIENCE DES LIMITES, *essai*, 1968 (Points n° 24).

SUR LE MATÉRIALISME, *essai*, 1971.

LOIS, *roman*, 1972 (L'Imaginaire n° 431).

H, *roman*, 1973 (L'Imaginaire n° 441).

PARADIS, *roman*, 1981 (Points-romans n° 690).

L'ANNÉE DU TIGRE, *journal*, 1999 (Points n° 705).

L'AMITIÉ DE ROLAND BARTHES, 2015.

### Aux Éditions Plon

CARNET DE NUIT, *essai*, 1989 (Folio n° 4462).

LE CAVALIER DU LOUVRE. Vivant Denon (1747-1825), *essai*, 1995 (Folio n° 2938).

CASANOVA L'ADMIRABLE, *essai*, 1998 (Folio n° 3318).

MYSTÉRIEUX MOZART, *essai*, 2001 (Folio n° 3845).

DICTIONNAIRE AMOUREUX DE VENISE, 2004.

UN VRAI ROMAN : MÉMOIRES, 2007 (Folio n° 4874).

### Aux Éditions Grasset

VISION À NEW YORK, *entretiens avec David Hayman* (Figures, 1981 ; Médiations/Denoël ; Folio n° 3133).

CONTRE-ATTAQUE, *entretiens avec Franck Nouchi*, 2016.

### Aux Éditions Lattès

VENISE ÉTERNELLE, 1993.

*Aux Éditions Desclée De Brouwer*

**LA DIVINE COMÉDIE**, *entretiens avec Benoît Chantre*, 2000 (Folio nº 3747).

**VERS LE PARADIS.** Dante au Collège des Bernardins, *essai*, 2010.

*Aux Éditions Carnets Nord*

**GUERRES SECRÈTES**, 2007 (Folio nº 4995).

*Aux Éditions Écriture*

**CÉLINE**, 2009.

*Aux Éditions Robert Laffont*

**ILLUMINATIONS**, *essai*, 2003 (Folio nº 4189).

*Aux Éditions Calmann-Lévy*

**VOIR ÉCRIRE**, *entretiens avec Christian de Portzamparc*, 2003 (Folio nº 4293).

*Aux Éditions Verdier*

**LE SAINT-ÂNE**, *essai*, 2004.

*Aux Éditions Hermann*

**FLEURS.** Le grand roman de l'érotisme floral, 2006.

*Au Cherche Midi Éditeur*

**L'ÉVANGILE DE NIETZSCHE**, *entretiens avec Vincent Roy*, 2006 (Folio nº 4804).

**GRAND BEAU TEMPS**, 2009.

*Aux Éditions de La Différence*

**DE KOONING, VITE**, *essai*, 1988.

*Aux Éditions Cercle d'Art*

PICASSO LE HÉROS, *essai,* 1996.

*Aux Éditions Mille et Une Nuits*

UN AMOUR AMÉRICAIN, *nouvelle,* 1999.

*Aux Éditions 1900*

PHOTOS LICENCIEUSES DE LA BELLE ÉPOQUE, 1987.

*Aux Éditions Stock*

L'ŒIL DE PROUST. Les dessins de Marcel Proust, 2000.

*Préfaces*

Paul Morand, NEW YORK, *GF Flammarion.*

Madame de Sévigné, LETTRES, *Éditions Scala.*

FEMMES MYTHOLOGIES, en collaboration avec Erich Lessing, *Imprimerie Nationale.*

D.A.F. de Sade, ANNE-PROSPERE DE LAUNAY. « L'AMOUR DE SADE », *Gallimard.*

Mirabeau, LE RIDEAU LEVÉ OU L'ÉDUCATION DE LAURE, *Jean-Claude Gawsewitch Éditeur.*

Willy Ronis, NUES, *Terre Bleue.*

Louis-Ferdinand Céline, LETTRES À LA N.R.F., *Gallimard* (Folio n° 5256).

# COLLECTION FOLIO

*Dernières parutions*

*Composition CMB/PCA*
*Achevé d'imprimer par Novoprint*
*le 18 septembre 2018*
*Dépôt légal : septembre 2018*

ISBN : 978-2-07-279370-7/Imprimé en Espagne